中华人民共和国建设部

职业技能岗位标准
职业技能岗位鉴定规范
职业技能岗位鉴定试题库

燃气用具安装检修工

中国建筑工业出版社

中华人民共和国建设部
职业技能岗位标准
职业技能岗位鉴定规范
职业技能岗位鉴定试题库

燃气用具安装检修工

*

中国建筑工业出版社出版、发行（北京西郊百万庄）

各地新华书店、建筑书店经销

北京建筑工业印刷厂印刷

*

开本：787×1092毫米　1/32　印张：5⅞　字数：130千字

2003年3月第一版　　2012年10月第二次印刷

定价：**12.00**元

统一书号：15112·10387

本社网址：http://www.cabp.com.cn

网上书店：http://www.china-building.com.cn

前　　言

为了促进建设事业的发展，加强建设部系统各行业的劳动管理，广泛开展职业技能岗位培训和鉴定工作，提高职工队伍素质，我们根据建设部印发的《职业技能岗位标准》、《职业技能岗位鉴定规范》、《职业技能岗位鉴定试题库》及各地工人学习、培训、鉴定工作的实际需要，组织编辑了《职业技能岗位标准、鉴定规范、鉴定试题库》系列丛书，按每个职业岗位印刷成单行册。

各地区在使用过程中，严禁翻印。发现不妥之处，请提出宝贵意见。

建设部职业技能岗位鉴定指导委员会

2001 年

目　　录

关于颁发燃气行业燃气管道工等 27 个
"职业技能岗位标准、鉴定规范和
试题库"的通知

建人教〔2002〕90 号

各省、自治区建设厅，直辖市建委，计划单列市建委，新疆生产建设兵团建设局：

为进一步提高燃气行业职工队伍素质，满足燃气行业职工开展职业技能岗位培训与鉴定工作需要，根据燃气行业的发展状况，我部组织有关专家对原燃气管道工等 27 个工种的《工人技术等级标准》进行了修订，并更名为《职业技能岗位标准》，根据修订后的《职业技能岗位标准》，重新编制了《职业技能岗位鉴定规范》和《职业技能鉴定试题库》。现将《职业技能岗位标准》、《职业技能岗位鉴定规范》和《职业技能鉴定试题库》（工种目录见附件）予以颁发，自颁发之日起试行。试行中有何问题和建议，请及时函告建设部人事教育司。

建设部 1989 年颁发的城市煤气、热力工人技术等级标准（CJJ24—89）自《职业技能岗位标准》颁发之日起停止执行。

附件：工种目录

中华人民共和国建设部
2002 年 4 月 5 日

附件：

工 种 目 录

1. 燃气用具安装检修工；
2. 液化石油气机械修理工；
3. 燃气输送工；
4. 燃气压力容器焊工；
5. 炼焦煤气炉工；
6. 燃气用具修理工；
7. 燃气管道工；
8. 燃气化验工；
9. 燃气净化工；
10. 污水处理工；
11. 配煤工；
12. 液化石油气罐区运行工；
13. 机械煤气发生炉工；
14. 焦炉维护工；
15. 热力司炉工；
16. 燃气调压工；
17. 热力运行工；
18. 重油制气工；
19. 液化石油气钢瓶检修工；
20. 液化石油气灌瓶工；
21. 供气营销员；
22. 煤焦车司机；
23. 焦炉调温工；
24. 胶带机输送工；
25. 燃气表装修工；
26. 冷凝鼓风工；
27. 水煤气炉工。

第一部分
燃气用具安装检修工职业技能岗位标准

1. 专业名称：燃气工程。
2. 岗位名称：燃气用具安装检修工。
3. 岗位定义：使用检修工具，对用户燃气管道及设备定期进行维护，保证用户安全用气。
4. 适用范围：燃气用具安装检修。
5. 技能等级：初、中、高。
6. 学徒期：两年。培训期：一年，见习期：一年。

一、初级燃气用具安装检修工

知识要求（应知）

1. 燃气的主要特性及燃烧的基本知识。
2. 常用燃气用具、配件的名称、构造、规格、性能、用途及质量标准。
3. 常用材料的种类、规格、用途、质量标准以及管道除锈防腐知识。
4. 户内燃气管道和燃气用具安装的技术规范、操作规程、维修注意事项，查漏、查堵方法及带气检修安全操作知识。
5. 常用工具、量具的名称、规格、用途、使用和保养方法。
6. 防火、灭火和中毒救护知识。

7.用户的安全用气和节气知识。

8.管工、钳工的一般知识。

9.燃气基本知识。

10.常用燃气器具、名称、规格、用途、使用保养等。

11.常用管材、零件规格、用途。

12.燃气输配知识。

13.安全操作知识（应包括市电的安全操作知识）。

操作要求（应会）

1.按图进行民用户的燃气管道和燃气设备的安装。

2.迅速查出燃气表、燃气用具、管道的漏气、堵塞部位并加以排除；分析火焰不正常的原因并给予调整；熟练地进行民用燃气用具的维修。

3.能独立完成户内燃气管和燃气燃气用具的报修和中修工作。

4.正确使用 U 形表，进行试压及查漏、修漏工作。

5.能进行燃气设备的置换、点火工作。

6.正确使用灭火器材，及时扑灭户内管道、设备发生的火灾，并能进行燃气中毒的救护。

7.掌握常用管材的切割、调直、套丝扣、安装及固定。

8.能按图安装简单的灶具，掌握试压、查漏方法。

9.能处理民用客户燃气灶在燃烧过程中出现的故障。

10.掌握扑救燃烧失火和燃气中毒救护方法。

二、中级燃气用具安装检修工

知识要求（应知）

1.燃气燃烧的基础知识。

2.燃气输配系统的工艺流程。

3．燃气户内设备的种类、结构、规格、技术特性。

4．了解食堂炉灶的结构要求，烟囱拍力原理以及影响抽力的因素。

5．影响食堂炉灶、燃气用具热效率的因素。

6．了解燃气表构造、原理及技术性能。

7．较复杂的户内管道、工艺设备、用气设备的安装、改装、大修试压、通气点火方法；质量和验收标准。

8．各种管材的线膨胀及温度变化、伸缩量的关系。

9．热工学、流体力学常识。

10．制图知识和机械零件常识。

11．较大事故的处理程序及技术要求。

12．掌握与燃气安全有关的国家法规及规范。

13．燃气燃烧基本理论知识。

14．燃气输配基本理论知识。

15．常见燃气用具的规格、性能、燃烧特性、耗气量等技术参数。

16．常见燃气表的种类、规格、性能及连接安装的技术参数。

操作要求（应会）

1．按施工图带领初级工对民用户、团体用户燃气设备的安装、改装、大修、试压、验收等工作。

2．进行小型零星用户的测估工作。

3．组织有关工程进行户内燃气设施的检修，解决较复杂的技术问题，进行各种燃气用具投产调试工作。

4．进行一般用气设备热效率的测定及简单的燃气用具改造，帮助工业、团体用户制定提高热效率的方案。

5．检查户内燃气设施的隐患，并进行处理。

6.能带领初级工对工、营、事、团燃气客户进行燃气用具设备施工、安装、改装、验收、通气点火、调试。

7.能诊断输配中发生的供应不良现象，提出防止和解决措施。

8.能绘制一般的燃气管线、燃气用具及设备的施工图。

三、高级燃气用具安装检修工

知识要求（应知）

1.用户燃气设备的维修和施工方法。

2.户内燃气安装、检修的先进技术、先进设备。

3.国内外新型燃气用具、高级家庭燃气用具的结构和一般性能。

4.热工学、流体力学的基本知识。

5.能够熟练掌握国家有关的燃气及安全法规和规范。

6.掌握户内检修工种的施工质量标准、验收标准；

7.管道流量计算、阻力计算、管径大小的确定；

8.掌握各种燃气用具热效率提高的途径；

9.具有一定的机械制图和机械零件知识；

10.掌握有关燃气互换性的基本知识。

操作要求（应会）

1.进行各种复杂工业设备置换通气点火。

2.进行技术革新和试制燃气用具，以满足一些用气设备的特殊要求。

3.修理各种燃气用具，特殊结构的国外新型燃气家庭用具和工业设备。

4.编制本工种安全技术操作规程及管理制度。

5.参与审查大型燃气工程规划、设计、施工方案。

6．具备用户安装、验收的组织工作。

7．对一些燃气客户的燃气用具设备有特殊要求时，能进行仿制、改制各种燃气用具；

8．能制作维修本工种专用工具、卡具；

9．能编制本工种的操作规程、管理制度、工时定额；

10．对大型燃气工程的规划、设计的图纸能看懂，并能制订施工计划、组织带领施工。

第二部分
燃气用具安装检修工职业
技能岗位鉴定规范

第一章 说 明

一、鉴定要求

1. 鉴定试题符合本职业技能鉴定规范的内容。

2. 职业技能岗位鉴定分为理论考试和实际操作考核两部分。

3. 理论部分试题分为：是非题、选择题、计算题和简答题。

4. 考试时间：原则上理论考试时间为 1.5h，实际操作考核为 1～2h。

5. 鉴定标准：理论考试和实际操作考核均实行百分制，成绩均达到 60 分者为技能鉴定合格。技能鉴定与道德鉴定、业绩鉴定均合格视为岗位鉴定合格。

二、申报条件

1. 申请参加初级工技能岗位鉴定的人员必须具有初中以上文化程度，从事本岗位工作 2 年以上，或经正规培训机构培训的本专业（工种）的毕业生或结业生（培训期一年以上）。

2. 申请参加中级工技能岗位鉴定的人员必须具有初级

证书，且在初级岗位上工作 3 年以上；或经评估合格的中等专业学校、技工学校、职业学校的本专业（工种）毕业生，且持有初级证书者。

3. 申请参加高级工技能岗位鉴定的人员必须具有中级证书，且在中级岗位上工作 5 年以上；或经评估合格的中等专业学校、技工学校、职业学校的本专业（工种）毕业生，持有中级证书，且在中级岗位上工作 3 年以上者。

三、考评员构成及要求

1. 考评初、中级技工的考评员，需由具有高级工以上证书的技工或中级以上专业技术职称的技术人员组成。

考评高级技工的考评员，需由具有技师以上证书的技工或中级以上专业技术职称的技术人员组成。

2. 考评员需熟练掌握本职业技能岗位鉴定规范的内容。

3. 理论部分考评员原则上按每 20 名考生配备一名考评员，即 20:1。操作部分考评员原则上按每 5 名考生配备一名考评员，即 5:1。

第二章 岗位鉴定规范

第一节 道德鉴定规范

一、本标准适用于从事本行业的所有初级工、中级工、高级工的道德鉴定。

二、道德鉴定在企事业单位广泛开展道德教育的基础上，采取笔试或用人单位按实际表现鉴定的形式进行。

三、道德鉴定的内容主要包括，遵守宪法、法律、法规、国家的各项政策和各项技术安全操作规程及本单位的规章制度，树立良好的职业道德和敬业精神以及刻苦钻研技术的精神。

四、道德鉴定由用人单位负责，职业技能岗位鉴定站审核。考核结果分为优、良、合格、不合格。对笔试考核的，60分以下的为不合格，60～79分为合格，80～89分为良，90分以上为优。

第二节 业绩鉴定规范

一、本标准适用于从事本行业的所有初级工、中级工、高级工的业绩鉴定。

二、业绩鉴定在加强企事业单位日常管理和工作考核的基础上，针对所完成的工作任务，采取定量为主、定性为辅的形式进行。

三、业绩鉴定的内容主要包括，完成生产任务的数量和质量，解决生产工作中技术业务问题的成果，传授技术、经验的成绩以及安全生产的情况。

四、业绩鉴定由用人单位负责，职业技能岗位鉴定站审核，考核结果分为优、良、合格、不合格。对定量考核的，60分以下的为不合格，60～79分为合格，80～89分为良，90分以上为优。

第三节 技能鉴定规范

一、初级工

（一）技能鉴定规范的内容

项　　目	鉴定范围	鉴　定　内　容	鉴定比重
知识要求			**100%**
基础知识 30%	1. 燃气常识 20%	（1）燃气的分类与性质 （2）安全用气知识	10% 10%
	2. 识图 6%	（1）管道施工图常识 （2）管道平、剖面图 （3）管道轴测图 （4）城市燃气工艺流程图	2% 2% 1% 1%
	3. 电工常识 4%	（1）常用电动工具正确使用方法 （2）安全用电常识	2% 2%
专业知识 60%	1. 户内燃气用具知识 10%	（1）民用燃气灶、箱的种类及构造与产品质量标准	5%
		（2）民用燃气热水器的构造与产品质量标准	2%
		（3）民用燃气表的构造与产品质量标准	3%

项　　目	鉴定范围	鉴　定　内　容	鉴定比重
专业知识 60%	2．户内燃气设备安装知识 25%	（1）户内燃气设备安装、检修范围	4%
		（2）户内燃气管道的施工方法	4%
		（3）户内燃气用具的安装方法	4%
		（4）户内燃气管道的防腐操作	4%
		（5）户内燃气设施施工安装验收的方法及合格标准	4%
		（6）户内燃气设施置换及点火的操作方法	3%
		（7）户内燃气管道常用量具、工具及使用保养方法	2%
	3．户内燃气设备维修知识 10%	（1）户内燃气用具的故障检查方法及一般故障的排除方法	4%
		（2）户内燃气管道维修方法	4%
		（3）户内燃气管道及燃气用具的报修与中修的内容	2%
	4．本岗位规程知识 5%	（1）户内燃气管道及燃气用具安装技术规程	2%
		（2）户内燃气管道及燃气用具安装维修操作规程	3%
	5．户内安全用气基本知识 10%		10%
相关知识 10%	1．法定计量单位知识 5%	（1）法定计量单位的表示方法	2%
		（2）常用单位与法定计量单位之间的换算	3%
	2．钳工、管工基本知识 5%	（1）钳工、管工工具的使用知识	2%
		（2）常用管材和管件	1%
		（3）管道安装基本操作技术	1%
		（4）管道安装的安全技术	1%

项　　目	鉴定范围	鉴 定 内 容	鉴定比重
操作要求	基本操作技能		100%
操作技能 70%	1. 安装 20%	(1) 按图安装户内管道及阀门	8%
		(2) 按图安装户内燃气用具及热水器	8%
		(3) 按图安装户内燃气表	4%
	2. 验收 20%	(1) 对竣工的户内燃气设施进行试压工作	8%
		(2) 对竣工的户内燃气设施进行置换工作	8%
		(3) 对竣工的户内燃气设施进行点火工作	4%
	3. 维护 15%	(1) 使用 U 形水柱表对户内燃气管道接口处进行漏气检测	5%
		(2) 检查燃气灶、热水器的工作是否正常	5%
		(3) 分析火焰燃烧不正常的原因	5%
	4. 修理 15%	(1) 户内燃气管道的防腐制作及除锈处理	10%
		(2) 燃气用具的简单修理	5%
工具设备的使用 10%	工具的使用与维护 10%	(1) 量具的使用与维护	3%
		(2) 工具的使用与维护	7%
安全及其他 20%	1. 安全施工 15% 2. 文明施工 5%	(1) 安全生产的一般规定	5%
		(2) 本岗位安全技术操作规程	10%
		(3) 工完场清，文明施工	5%

（二）技能鉴定试题范例

理论部分（共 100 分）

1.是非题（对的划"√"错误的划"×"，答案写在每

题括号内每题 1 分，共 25 分)

(1) 使用锉刀锉工件可以两面同时使用。　　　　　　（　　）

(2) 使用手锯往复推锯时，应使用锯条的全长，以使锯条磨损均匀。　　　　　　　　　　　　　　　　（　　）

(3) 弯管机适用于将钢管成批煨弯，可使管子只在一个平面上在冷态下弯成 0°～180°　　　　　　　　（　　）

(4) 卡钳是一种间接量具，从卡钳上看不出尺寸。

（　　）

(5) 调整卡钳尺寸时，应敲击卡钳口，不应敲卡钳的两个侧面。　　　　　　　　　　　　　　　　　（　　）

(6) 游标卡尺不能作划线工具和夹持工作，不准测粗糙的表面或磁性工件。　　　　　　　　　　　　（　　）

(7) 表面粗糙度是由于切削过程中刀痕、切屑分裂时的塑性变形及振动等原因造成的。　　　　　　　（　　）

(8) 金属在冲击力作用下，仍不破坏的能力叫硬度。

（　　）

(9) 一般为提高耐腐蚀性，常在管件表面镀锌。（　　）

(10) 当管材安装在需要经常维修、更换、拆卸的位置时，管径大于 $DN50$ 时常使用法兰连接。　　　　（　　）

(11) 扑灭电石火灾时，需用干砂和二氧化碳灭火器，可以用水灭火。　　　　　　　　　　　　　　（　　）

(12) 乙炔罐与焊接地点之间的距离应大于 8m。

（　　）

(13) 电流经过的路径称为电路：最简单的电路是电源、负载和连接导线组成。　　　　　　　　　　（　　）

(14) 在电路中任一点都有电位，电流从低电位流向高电位，高、低电位之差称为电位差　　　　　　（　　）

（15）电源额定电压的等级由国家制定颁布。　（　）

（16）欧姆定律公式：$I = R/E$，I—电流（A）；R—电阻（Ω）；E—电压（V）。　（　）

（17）磁场是磁力所能作用到的范围，同性相斥，异性相吸。　（　）

（18）在交流电路中，每一瞬间电流、电压和电动势的数值都不相同。　（　）

（19）燃气用具是将燃气的化学能转化为热能供人们使用的器具。　（　）

（20）燃气用具按适应的燃气额定压力分为低压燃气用具和中压燃气用具。　（　）

（21）民用燃气用具属于低压燃气用具其燃烧方式为扩散式。　（　）

（22）每个燃气用具都有相应的额定热负荷。　（　）

（23）热效率是显示燃烧设备的燃烧与传热的综合效果。它是有效利用的热量占燃烧器燃烧放出热量的百分数。

　（　）

（24）人工燃气用气设备燃烧器的额定压力为 2.0kPa。

　（　）

（25）燃气用具一般在热负荷可能调节范围内，火焰仍应能稳定燃烧。　（　）

2．选择题（将正确答案的序号填在每题横线上，每题 1 分，共 25 分）

（1）本地区管道燃气的低热值约____。

A.3400kJ／m³　　　　　B.3800kJ／m³

C.14280kJ／m³　　　　D.4800kJ／m³

（2）本地区天然气的低热值约____。

A.45000kJ／m^3 B.34000kJ／m^3

C.41000kJ／m^3 D.300kJ／m^3

（3）液化石油气的低热值约____。

A.90000kJ／m^3 B.114000kJ／m^3

C.140000kJ／m^3 D.14280kJ／m^3

（4）管道燃气人工燃气的密度与空气的密度相比____。

A.比空气轻   B.比空气重

C.与空气相等

（5）管道燃气人工燃气的密度与液化石油气的密度相比

____。

A.比液化石油气重   B.比液化石油气轻

C.与液化石油气相同

（6）管道燃气密度与天然气的密度相比____。

A.比天然气轻   B.比天然气重

C.与天然气相等

（7）天然气的密度与液化石油气的密度相比____。

A.比液化石油气重   B.比液化石油气轻

C.与液化石油气相等

（8）管道燃气的相对密度____。

A.大于1   B.小于1   C.等于1

9.天然气的相对密度____。

A.大于1   B.小于1   C.等于1

10.液化石油气的相对密度____。

A.大于1   B.小于1   C.等于1

11.当家用燃气用具燃烧时，发生火焰不清、火混时，可以采用下列措施来解决____。

A.调小风门   B.调大风门

C. 开大燃气开关　　D. 调小燃气开关

12. 当燃气用具燃烧时，易发生回火，可以采用下列措施解决____。

A. 疏通出火孔　　　　B. 关小燃气开关

C. 调风门　　　　　　D. 疏通燃气喷嘴

13. 当燃气用具燃烧时，发生火焰不清、火混时，可以采用下列措施____。

A. 调大风门　　　　　　B. 疏通出火孔

C. 开大燃气开关　　　　D. 调小风门

14. 目前本市管道燃气（人工燃气）调压器出口压力为____。

A. 1500mmH$_2$O　　B. 1500Pa

C. 1.5kg/cm^2　　　D. 1000Pa

15. 管道燃气（人工燃气）灶前燃烧压力应为____。

A. 1000Pa　　B. 900Pa　　C. 800Pa　　D. 500Pa

16. 热水器的安装高度，宜满足观火孔离地距离要求为____。

A. 1000mm　　　　　B. 1700mm

C. 1800mm　　　　　D. 1500mm

17. 在进行户内燃气管道及设备漏气点检查时，可采用____。

A. U 形管　　　　　B. 肥皂液

C. 明火　　　　　　D. 浇水

18. 热水产率为 5L 的热水器，每小时耗管道人工燃气（低热值按 14235kJ/m^3 计）约____。

A. 4.0m^3/h　　　　B. 3.2m^3/h

C. 3.5m^3/h　　　　D. 2.7m^3/h

19．热水产率为 8L 的热水器，每小时耗管道人工燃气（低热值按 14235kJ/m³ 计）约＿＿。

A．5.5m³/h　　　　　B．5m³/h

C．4.5m³/h　　　　　D．3.5m³/h

20．热水产率为 5L 的热水器，每小时耗天然气约＿＿。

A．0.88m³/h　　　　B．0.96m³/h

C．10.8m³/h　　　　D．1.20m³/h

21．热水产率为 8L 的热水器，每小时耗天然气约＿＿。

A．2m³/h　　　　　B．1.7m³/h

C．1.2m³/h　　　　　D．1.5m³/h

22．热水产率为 5L 的热水器，每小时耗液化石油气约＿＿。

A．0.8kg/h　　　　　B．1kg/h

C．1.2kg/h　　　　　D．1.5kg/h

23．热水产率为 8L 的热水器，每小时耗液化石油气约＿＿。

A．1.1kg/h　　　　　B．1.3kg/h

C．1.5kg/h　　　　　D．2kg/h

24．热水产率为 10L 的热水器，每小时耗管道燃气约＿＿。

A．4.5m³/h　　　　　B．5m³/h

C．4m³/h　　　　　　D．5.5m³/h

25．热水产率为 10L 的热水器，每小时耗天然气约＿＿。

A．1.55m³/h　　　　B．1.75m³/h

C．1.92m³/h　　　　D．2.0m³/h

3．计算题（每题 10 分，共 20 分）

（1）在理想气体状态方程中，当 $P = 1atm$，$V = 22.4L$，$T = 273K$，$n = 1mol$ 时，通常气体常数 R 值是多少？

（2）体积为 $0.2m^3$ 的钢瓶盛有 CO_2：$0.89kg$，当温度为 $0℃$ 时，问钢瓶内气体的压力为多少？

已知：$V = 0.2m^3$，$m = 0.89kg = 890g$，$R = 8.314$ J／（mol·K），$T = 273 + 0 = 273K$，$MCO_2 = 44g/mol$。求 $P = ?$

4．简答题（每题 10 分，共 30 分）

（1）简述引起回火的原因。

（2）试述燃气中毒后的急救和护理。

（3）什么叫无焰式燃烧？

实际操作部分（共 100 分）

室内燃气管道安装的基本操作和要求

考核项目及评分标准

序号	考核项目	评 分 标 准	满分	检测点					得分
				1	2	3	4	5	
1	工具准备		10						
2	套扣、安装	正确使用工具，丝扣表面要求端正光滑无毛刺，不掉丝，不乱丝	20						
3	质量要求	横平竖直，没有局部凹陷	40						
4	技术要求	坡度保持3‰，坡向正确	20						
5	其他	安设放散管、油任、阀门	10						

二、中级工

（一）技能鉴定规范的内容

项 目	鉴定范围	鉴 定 内 容	鉴定比重
知识要求			**100%**
基础知识20%	1．燃气燃烧基础知识6%	（1）燃气燃烧条件	3%
		（2）燃烧器的分类与种类	3%
	2．燃气输配流程知识4%	（1）燃气输配系统的组成	2%
		（2）燃气输配系统的工艺流程	2%
	3．机械制图理论知识和识图知识3%	（1）制图的基本规定	1%
		（2）零件图的表达方式及识读	1%
		（3）装配图的表达方式及识读	1%
	4．流体力学及热工常识5%	（1）流体的物理性质	1%
		（2）静止流体力学的基本知识	1%
		（3）运动流体力学的基本知识	1%
		（4）阻力损失	1%
		（5）有关物理量的换算	1%
	5．电工常识2%	（1）常用电器及电气控制线路	1%
		（2）安全用电	1%
专业知识20%	1．户内燃气设备知识15%	（1）民用燃气设备的种类与性能	2%
		（2）工业企业燃气设备的种类与性能	2%
		（3）福利用户燃气设备的种类与性能	2%
		（4）燃气表的种类与性能	2%
		（5）各种报警及遥测、遥控设备的种类与性能	2%
	2．户内燃气用具燃烧热效率知识10%	（1）民用燃气用具热效率影响因素分析	4%
		（2）工业企业燃气用具热效率影响因素分析	4%
		（3）福利用户燃气用具热效率影响因素分析	2%

项　　目	鉴定范围	鉴　定　内　容	鉴定比重
专业知识 20%	3.户内燃气设施安装与验收知识10%	（1）户内燃气管道及阀门的安装与验收组织	4%
		（2）户内燃气表的安装与验收组织	3%
		（3）户内燃气用具的安装与验收组织	3%
	4.户内燃气设施改装、检修与验收知识10%	（1）户内燃气管道的改装、检修与验收组织	4%
		（2）户内燃气用具的改装、检修与验收组织	3%
		（3）户内燃气表的检修	3%
	5.户内燃气设施10% 使用及事故处理知识	（1）户内燃气管道的事故处理	4%
		（2）户内燃气用具的使用及事故处理知识	3%
		（3）户内燃气表的事故处理	3%
	6.户内燃气管道管材知识10%	（1）铸铁管管材的性能	4%
		（2）钢管管材的性能	4%
		（3）非金属管管材性能	2%
	7.本岗位规程知识5%	（1）施工安装技术规程的编制	2%
		（2）施工安装与验收安全规程的编制	2%
		（3）中级工岗位职责	1%
相关知识 10%	金属工艺学基础知识10%	（1）金属的机械性能	2%
		（2）铁碳合金性能	2%
		（3）碳素钢性能	2%
		（4）铸铁及热处理	2%
		（5）钢铁的简易鉴别方法	2%

项　　目	鉴定范围	鉴　定　内　容	鉴定比重
技能要求			**100%**
操作技能 70%		(1) 按图组装燃气灶具的主要部件	10%
		(2) 改装燃气灶具及热水器	10%
		(3) 调试户内燃气设施	10%
		(4) 制定提高燃气用具热效率的方案	10%
		(5) 户内燃气用具较复杂故障的排除	10%
		(6) 户内燃气设施的改装	10%
		(7) 改装后的户内燃气设施的验收	10%
工具设备的使用 15%	工具的使用与维护 15%	(1) 工具的使用	10%
		(2) 工具的维护	5%
安全及其他 15%	1. 安全施工 2. 文明施工	(1) 安全施工的一般规定	5%
		(2) 本岗位安全技术操作规程	5%
		工完场清，文明施工	5%

（二）技能鉴定试题范例

理论部分（共 100 分）

1. 是非题（正确的划"√"，错误的划"×"，答案写在每题括号内，每题 1 分，共 25 分）

（1）室内管的横向坡度不小于 2‰。　　　　　（　　）

（2）水平管道支架的最大间距，公称直径为 15mm 间距不超过 3m。　　　　　　　　　　　　　　　（　　）

（3）燃气管道与电线明敷（无保护管）最小的间距 150mm。　　　　　　　　　　　　　　　　（　　）

（4）管道的敷设坡度低压干管不小于 3‰。（　　）

（5）管道的坡度原则，支管坡向集水器。（　　）

（6）公称直径为 32mm 的燃气管、水平敷设、支架的最

大间距不超过 4m。 （ ）

（7）在架设公称直径为 20mm 水平管道时，其支架的最大间距不超过 2.5m。 （ ）

（8）管道的坡向原则，小口径坡向支管。 （ ）

（9）燃气管与熔丝盒、电插座、电源开关最小的间距 130mm。 （ ）

（10）燃气管与电表、配电箱的最小间距 200mm。

（ ）

（11）当燃气管与其他管相遇时，燃气管应位于其他管道之内侧。 （ ）

（12）地下引入管的最小公称直径 40mm。 （ ）

（13）燃气明支管在里弄内与架空电线平行设置时，燃气管应在电线上方，净距离应大于 300mm。 （ ）

（14）热水器两侧与电器设备的净距大于 200mm，当无法做到时，应采取隔热措施。 （ ）

（15）地上燃气管竖管要求与水平垂直，允许 2‰ 的偏斜。 （ ）

（16）大气式火焰温度最高处在焰尖，约 1180℃。

（ ）

（17）扩散式火焰温度最高处在火焰的中部偏上方。

（ ）

（18）当燃气的相对密度小于 1 时，室内发生燃气泄漏，燃气会沉积在低洼处。 （ ）

（19）当燃气的相对密度大于 1 时，室内发生燃气泄漏，燃气会飘浮在室内高处。 （ ）

（20）液化石油气的相对密度小于 1。 （ ）

（21）人工气、天然气的相对密度大于 1。 （ ）

（22）爆炸浓度下限，它是指燃气在其混合物中引起着火的最大浓度。　　　　　　　　　　　　　　　　　（　　）

（23）爆炸浓度上限，它是指燃气在其混合物中引起着火的最小浓度。　　　　　　　　　　　　　　　　　（　　）

（24）燃气预先和空气混合而进行的燃烧，称为扩散式燃烧。　　　　　　　　　　　　　　　　　　　　　（　　）

（25）扩散式燃烧，一次空气系数在 0.5～0.7 之间。
　　　　　　　　　　　　　　　　　　　　　　　（　　）

2. 选择题（将正确答案的序号填入横线上，每题 1 分，共 25 分）

（1）如图所示：从三视图投影角度来看＿＿＿＿方向是主视图。

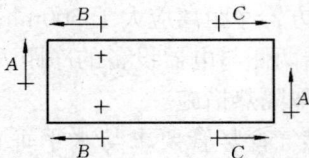

A.A—A　　　　B.B—B　　　　C.C—C　　　　D. 没有

（2）用两个相互平行的剖切平面，在管道间进行剖切，同样把两个剖切平面之前部分移去，再对剩余部分进行投影，所得到的剖面图为：＿＿＿＿

A. 断面剖面图　　　　　　　　B. 转折剖面图

C. 管道剖面图

（3）如图单根管道斜等轴测图：管道为左右水平走向，在 OX 轴上直接量取的长度为管道的＿＿＿＿。

A. 实长的 1/2　　　　　　　　B. 实长的 1/4

C. 实长　　　　　　　　　　　D. 实长的 1/3

（4）根据视图确定管线的空间走向，一般情况下往往定

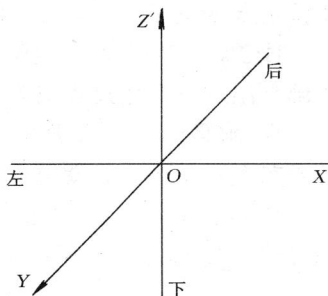

X 轴为_____。

A. 前后走向 　　　　　　　B. 左右走向

C. 垂直走向 　　　　　　　D. 水平走向

（5）机件向基本投影面投影所得到的视图叫_____。

A. 基本视图 　　　　　　　B. 局部视图

C. 斜视图 　　　　　　　　D. 三视图

（6）在液态相互溶解，当合金凝固成固态时，组元之间仍能互相溶解形成的均匀一致的，仍保持其中某一组元晶格类型的固体合金称为_____。

A. 金属化合物 　　　　　　B. 机械混合物

C. 固溶体 　　　　　　　　D. 非金属化合物

（7）碳溶解在 α-Fe 中所形成的固溶体，称为_____。

A. 奥氏体 　　B. 铁素体 　　C. 渗碳体 　　D. 碳素

（8）铁素体和渗碳体的机械混合物称_____。

A. 奥氏体 　　B. 铁素体 　　C. 珠光体 　　D. 金刚石

（9）组成合金的组元，按照一定的原子数量比例，相互化合而组成完全不同于原组元晶格的固体物质称为_____。

A. 金属化合物 　　　　　　B. 机械混物

C. 固溶体 　　　　　　　　D. 非金属化合物

（10）白口铸铁是含碳量在_____之间的铁碳合金。

A.＜2% B.2%～7% C.＞7% D.＞10%

（11）在低于沸点温度下汽化过程属于_____蒸发。

A. 自然 B. 沸腾 C. 其他

（12）气体的导热系数很小，它随温度的升高而_____。

A. 增大 B. 减小 C. 不变 D. 无关

（13）液体的导热系数较小，它随着温度的升高而略有_____。

A. 增大 B. 降低 C. 不变 D. 无关

（14）金属的导热系数很高，它随温度的升高而_____。

A. 不变 B. 增大 C. 减小 D. 无关

（15）非金属材料如耐火砖它们的导热系数随温度的升高而_____。

A. 减小 B. 不变 C. 增大 D. 无关

（16）由于测量系统设计不合理，测量仪器使用不当，测量方法不够科学，测量人员对被测量对象了解不够等因素所造成的测量误差称为_____。

A. 系统误差 B. 随机误差

C. 粗大误差 D. 绝对误差

（17）仪表精度等级是仪表的重要品质指标，某块仪表基本误差为 0.004，则该仪表精度等级为_____级。

A.0.04 B.0.4 C.4 D.0.004

（18）测量仪表在生产中最常见的四大类被测参数为：压力、温度、流量和_____。

A. 液位 B. 体积 C. 重量 D. 误差

（19）弹簧管在压力作用下变形，自由端产生位移为_____压力表。

A. 波纹管压力表　　　　　　　B. 弹簧管压力表

C. 膜片压力表　　　　　　　　D. 弹簧压力表

（20）利用被测流体流过管道时的速度，使流量计的翼形叶轮或螺旋叶轮转动，其转速与流体的流量成正比，这种流量计叫_____。

A. 容积式流量计　　　　　　　B. 差压式流量计

C. 速度式流量计　　　　　　　D. 重量式流量计

（21）流体通过突然缩小的管道断面时，使流体的动能发生变化而产生一定的压力降，压力降的变化和流速有关，此压力降可借助于差压计测出。这种流量计为_____。

A. 差压式流量计　　　　　　　B. 涡街式流量计

C. 速度式流量计　　　　　　　D. 容积式流量计

（22）流体与其他物体接触产生相互作用力，这种力作用在流体的表面上称之为_____。

A. 表面力　　B. 质量力　　C. 其他　　　D. 阻力

（23）单位体积流体所受的重力称为_____。

A. 密度　　　B. 重力密度　　C. 相对密度　　D. 流量

（24）人工燃气质量指标中，对焦油和灰尘的要求应小于_____mg/Nm³。

A.10　　　　B.8　　　　C.2　　　　　D.1

（25）城市燃气的华白指数波动范围不宜超过_____。

A. ±20%　　B. ±15%　　　C. ±12%　　D. ±7%

3. 计算题（每题 10 分，共 20 分）

（1）利用盖斯定律计算 C（石墨）＋1/2O$_2$（g）$\longrightarrow$ CO（g）的 $\Delta H_{298}^0$③＝？

已知：①C（石墨）＋O$_2$（g）$\longrightarrow$CO$_2$（g）

$\Delta H_{298}^0$①＝－393.5kJ

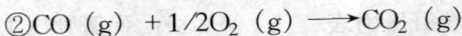

$$②CO（g）+1/2O_2（g）\longrightarrow CO_2（g）$$

$$\Delta H_{298}^{0}② = -282.96kJ$$

(2) 求 $4NH_3（g）+5O_2（g）\longrightarrow 4NO（g）+6H_2O$

（g）的 $\Delta H_{298}^{0} = ?$

已知：$\Delta H_f^0 NH_3 = -46.19kJ/mol$

$$\Delta H_f^0 O_2 = 0$$

$$\Delta H_f^0 NO = 89.86kJ/mol$$

$$\Delta H_f^0 H_2O = -241.83kJ/mol$$

4．简答题（每题 10 分，共 30 分）

(1) 简述燃气灶的安全使用要求？

(2) 简述大气式燃烧器的优点是什么？

(3) 简述引射器的作用是什么？

实际操作部分（共 100 分）

民用户通气步骤

考核项目及评分标准

序号	考核项目	评 分 标 准	满分	检测点					得分
				1	2	3	4	5	
1	通气前准备	1. 组织实施 2. 工具	20						
2	通气步骤	1. 放散点选择 2. 阀门启闭 3. 放散	50						
3	安全措施	符合安全规定	20						
4	验收点火	燃气表运行正常，灶具燃烧稳定	10						

26

三、高级工

(一) 技能鉴定规范的内容

项 目	鉴定范围	鉴 定 内 容	鉴定比重
知识要求			**100%**
基础知识 25%	1. 流体力学基础知识15%	(1) 流体及主要物理性质	4%
		(2) 静止流体的基本规律	4%
		(3) 运动流体的基本规律	2%
		(4) 燃气管道压力降计算及其管径的确定	5%
	2. 热工基础知识5%	(1) 概论	3%
		(2) 理想气体的性质	2%
	3. 热工仪表知识5%	(1) 测量仪表基本知识	3%
		(2) 压力测量	2%
		(3) 装配图的表达方式及识读	
专业知识 65%	1. 燃气燃烧理论知识15%	(1) 燃气燃烧反应方程式	6%
		(2) 扩散式燃烧器结构、性能与适用范围	3%
		(3) 大气式燃烧器结构、性能与适用范围	3%
		(4) 无焰式燃烧器结构、性能与适用范围	3%
	2. 户内燃气装置5%	(1) 户内燃气的供应方式	2%
		(2) 户内燃气装置的种类及设置	3%
	3. 户内燃气管材与管件知识5%	(1) 户内燃气管道常用管材	2%
		(2) 户内燃气管道常用管件	3%

项 目	鉴定范围	鉴 定 内 容	鉴定比重
专业知识 65%	4. 户内燃气安装检修常用工、机具知识 5%	(1) 手动工具的种类、构造及其操作	2%
		(2) 电动工具的种类、构造及其操作	2%
		(3) 工、机具的维护保养常识	1%
	5. 户内燃气管道的安装知识 5%	(1) 户内燃气管道工程的分类	1%
		(2) 户内燃气管道安装的基本原则	1%
		(3) 户内燃气管道安装与连接	2%
		(4) 户内燃气管道安装与其他施工单位的配合	1%
	6. 户内燃气表及其安装知识 5%	(1) 燃气表的种类及构造原理	1%
		(2) 户内燃气表的性能标准	1%
		(3) 户内燃气表的安装	2%
		(4) 工业用户的压力计与温度计的安装	1%
	7. 户内燃气用具及改装知识 10%	(1) 燃气用具的构造特点及适用范围	2%
		(2) 燃气用具的种类及外形尺寸	2%
		(3) 燃气用具的标准	2%
		(4) 燃气用具的安装与检修	2%
		(5) 新型燃气用具的性能	2%
	8. 户内燃气设施故障检修知识 10%	(1) 漏气及其检修	2%
		(2) 燃气通路堵塞及其检修	2%
		(3) 燃气表故障检修	2%
		(4) 阀门故障检修	2%
		(5) 户内燃气系统的巡视与维护管理	2%
	9. 安全节约用气知识 5%	(1) 安全用气的方法	2%
		(2) 节约用气的方法	1%

项　　目	鉴定范围	鉴　定　内　容	鉴定比重
相关知识 10%		（1）噪声的控制	2%
		（2）环境的保护	3%
操作要求			**100%**
80%		（1）进行工业设备换气点火	10%
		（2）对旧燃气用具进行革新改制	15%
		（3）燃气表故障检修	10%
		（4）阀门故障检修	10%
		（5）编制本工种安全技术操作规程及管理制度	15%
		（6）燃气用具复杂故障的检修	15%
		（7）参与审查燃气工程规划、设计、施工方案	15%
工具、设备的使用 10%	工具的使用与维护 10%	（1）工具的使用	5%
		（2）工具的维护	5%
安全及其他 10%	1. 安全施工 2. 文明施工	（1）安全施工的一般规定	4%
		（2）本岗位安全技术操作规程	4%
		工完场清，文明施工	2%

（二）技能鉴定试题范例

理论部分（共 100 分）

1．是非题（正确的划"√"，错误的划"×"，答案写在每题括号内）

（1）流体总是充满它能达到的全部空间。　　　（　）

（2）气体虽然没有固定的形态，但有固定的体积，能形成自由表面。　　　（　）

（3）水、燃气便于用管道进行输送，这是因为流体具有

压缩性。 （　　）

（4）流体不易被压缩。 （　　）

（5）固体具有固定的形状，流体的形状是随容器变化，也有固定的形状。 （　　）

（6）以完全没有气体存在的绝对真空为零点起算的压强称为相对压强。 （　　）

（7）如果不是以绝对真空的零点，而是以大气压强为零点起算的压强，称为绝对压强。 （　　）

（8）用 U 形管测出的燃气压强称为燃气的绝对压强。 （　　）

（9）烟气能从烟囱及时排出，一是靠热烟气的密度比空气密度重，二是靠烟囱的高度。 （　　）

（10）在温度不变的情况下，气体的压强与体积成正比。 （　　）

（11）隔热保温的基本原理是利用导热系数大的材料，减少传热。 （　　）

（12）建筑材料的密度小，则导热系数大。 （　　）

（13）在流体中，水的导热系数比空气小。 （　　）

（14）建筑材料的导热系数，随温度升高而减小。 （　　）

（15）夏季在装有空调的房间装双层窗，能防止外面的热空气传入室内，这是由于玻璃不善于导热。 （　　）

（16）传热学中，基本状态参数为温度、压强、比热。 （　　）

（17）单纯的导热只能发生的密实的液体中。 （　　）

（18）气体的导热性能比固体差，比液体好。 （　　）

（19）对流是依靠带热体的运动，把热量从空间的某一

区域传递到另一个温度相同的区域的现象。　　　（　　）

（20）水和铁各 10kg，升高同一温度时，它们所需热量相同。　　　　　　　　　　　　　　　　　　（　　）

（21）金属受热时，它的体积会增加，冷却时则会收缩，金属的这种性能称为导热性。　　　　　　　　　（　　）

（22）常用金属中导电性能最好的是铜，其次是铝。

　　　　　　　　　　　　　　　　　　　　　　（　　）

（23）金属的物理性能包括：密度、熔点、热膨胀性、机械性、导电性和磁性。　　　　　　　　　　　（　　）

（24）任何一种热处理都包括：室温、保温和冷却三个阶段。　　　　　　　　　　　　　　　　　　（　　）

（25）重量轻、强度高的硬铝是铝、铁、镁三元合金。

　　　　　　　　　　　　　　　　　　　　　　（　　）

2. 选择题（将正确的答案的序号填在每题横线上，每题 1 分，共 25 分）

（1）各种阀门产品的型号由七个单元组成，其中"3"表示的意义是_____。

　　A．连接形式　　　　　B．结构形式

　　C．驱动种类　　　　　D．流量

（2）某燃气阀门型号为 R-Z4W-3，Z 表示_____。

　　A．法兰连接　　　　　B．单闸板

　　C．双闸板　　　　　　D．闸阀

（3）对于螺纹中的牙形、大径、螺距三项都符合国家标准时，该螺纹称为_____。

　　A．右旋螺纹　　　　　B．左旋螺纹

　　C．标准螺纹

（4）Q235 钢属于_____钢。

A. 甲类　　　B. 乙类　　　C. 特类　　　D. 普通

(5) 钢号 T_{10} 的钢属于_____。

A. 高级优质碳素工具钢　　　B. 优质碳素工具钢

C. 碳素铸钢　　　D. 特种钢

(6) 优质碳素结构钢 45 钢，表示平均含碳量_____。

A. 0.45%　　　B. 4.5%　　　C. 45%　　　D. 0.045%

(7) ZG35 钢表示平均含碳量为 0.35% 的_____。

A. 优质碳素工具钢　　　B. 高级优质碳素工具钢

C. 碳素铸钢　　　D. 普通钢

(8) 对了解零件的主要作用和基本形状，以便弄清楚配件的工作原理和运动情况的为_____。

A. 分析零件　　　B. 分析配合关系

C. 分析视图　　　D. 分析误差

(9) 使得流动的流体之间存在着相互作用的相对运动的切力，这样的切力称之为_____。

A. 表面力　　　B. 质量力

C. 粘滞力　　　D. 阻力

(10) 在流体流动区域内，任一位置上流体的速度、压强、密度等物理量不随时间的变化而变，这种流体称为_____。

A. 过流断面　　　B. 恒定流

C. 流量　　　D. 流速

(11) 由于流体运动所具有的能量称为_____。

A. 动能　　　B. 位能

C. 压力能　　　D. 势能

(12) $Z_1 + \dfrac{P_1}{r} + \dfrac{V_1^2}{2g} = Z_2 + \dfrac{P_2}{r} + \dfrac{V_2^2}{2g}$ 方程式为_____。

A. 流体对外做功时的能量方程式

B. 外界对流体不做功时的能量方程式

C. 外界对流体做功时的能量方程式

D. 流体不对外做功时的能量方程式

（13）流体质点在管内不是沿直线流动而是随意紊乱地向前流动，这种流态为紊流，其 Re 应取_____。

A. $Re > 2000$　　　　　　B. $Re < 2000$

C. $Re = 2000$　　　　　　D. $Re > 3000$

（14）根据气体出口压力分类，终压为 $0.15 \sim 3 kgf/cm^2$ 表压的离心式风机为_____。

A. 通风机　　　　　　　　B. 压缩机

C. 鼓风机　　　　　　　　D. 排风机

（15）依靠往复运动的活塞依次开启吸入阀和排出阀，从而吸入并排出液体的泵为_____。

A. 往复式压缩机　　　　　B. 往复泵

C. 旋转泵　　　　　　　　D. 空压泵

（16）对流换热中出现的努谢尔特准则，用_____表示。

A. Nu　　　　B. Pr　　　　C. Re　　　　D. Fe

（17）用于加热液体使其汽化的换热设备是_____。

A. 蒸发器　　　　　　　　B. 加热器

C. 再沸器　　　　　　　　D. 汽化器

（18）利用被测流体流过管道时的速度，使流量计的翼形叶轮或螺旋叶轮转动，其转速与流体的流量成正比。这种流量计为_____流量计。

A. 容积式　　　　　　　　B. 差压式

C. 重量式　　　　　　　　D. 速度式

（19）对于差压式流量计的安装测量气体开孔应在管道

_____或与管道水平中心线成 0~45°夹角。

　　A. 下半部　　　B. 上部　　　C. 上半部　　　D. 下部

　　（20）利用静压差测量液位的仪表称为_____。

　　A. 差压式液位计　　　　　B. 浮力式液位计
　　C. 电容式液位计　　　　　D. 液压式液位计

　　（21）高热值是指 $1Nm^3$ 燃气完全燃烧后，烟气被冷却至原始温度，而其中的水蒸气以_____状态排出时所放出的全部热量。

　　A. 凝结水　B. 蒸汽　　　C. 其他

　　（22）低热值是指 $1Nm^3$ 燃气完全燃烧后，烟气被冷却至原始温度，而其中的水蒸气以_____状态排出时所放出的全部热量。

　　A. 凝结水　　B. 蒸汽　　　C. 其他

　　（23）$1m^3$ 燃气按燃烧反应计量方程式完全燃烧所需的空气量叫_____。

　　A. 实际空气量　　　　　B. 所需空气量
　　C. 理论空气量　　　　　D. 其他

　　（24）燃气燃烧产物产生的理论烟气量组分为_____。

　　A. CO_2、N_2 和 H_2O　　　　B. CO_2 和 H_2O
　　C. SO_2、N_2 和 H_2O　　　　D. CO_2、SO_2、N_2 和 H_2O

　　（25）为了燃气燃烧完全，实际供给的空气量比理论空气量_____。

　　A. 多　　　　B. 少　　　　C. 相等　　　D. 其他

3. 计算题（每题 10 分，共 20 分）

　　（1）已知某干燃气各组分的容积成分（体积%）分别为：$y_{H2} = 57.0$，$y_{CO} = 5.2$，$y_{CH_4} = 20.0$，$y_{CnHm} = 1.3$（按

C_3H_6），$y_{CO_2} = 2.7$，$y_{H_2} = 13.0$，$y_{O_2} = 0.8$. 设含湿量 $dg = 0.01kg/m^3$（n）干燃气，求湿燃气各组分的容积成分。

（2）已知某燃气组分的容积成分（体积％）

分别为：$y_{H_2} = 57.0$，$y_{CO} = 5.2$，$y_{CH_4} = 20.0$，$y_{CnHm} = 1.3$，$y_{CO_2} = 2.7$，$y_{H_2} = 13.0$，$y_{O_2} = 0.8$，燃气含湿量 $dg = 0.01kg/m^3$（n）干空气，试求理论空气需要量 V_0。

4．简答题（每题 10 分，共 30 分）

（1）简述管道施工中，如何弯管道曲势？

（2）简述三通及镶接的注意事项。

（3）影响火焰传播的速度因素有哪些？

实际操作部分（共 100 分）

家用燃气采暖装置的设置的具体要求

考核项目及评分标准

序号	考核项目	评分标准	满分	检测点					得分
				1	2	3	4	5	
1	安全措施	1．熄火保护，排烟设施 2．不耐火的地板上，有隔热	40						
2	位置要求	1．通风良好，走廊或非居住房间 2．与对面墙有 1m 通道等	30						
3	技术要求	1．红外线辐射 2．容积式热水采暖炉	20						
4	验收	安装应符合安装规范	10						

第三部分
燃气用具安装检修工
职业技能岗位鉴定试题库

第一章　初级燃气用具安装检修工

理论部分

（一）是非题（对的划"√"错误的划"×"，答案写在每题括号内）

1．使用锉刀锉工件可以两面同时使用。　　　　（×）

2．使用手锯往复推锯时，应使用锯条的全长，以使锯条磨损均匀。　　　　　　　　　　　　　　　　（√）

3．弯管机适用于将钢管成批煨弯，可使管子只在一个平面上在冷态下弯成 0°～180°　　　　　　　　（√）

4．卡钳是一种间接量具，从卡钳上看不出尺寸。　（√）

5．调整卡钳尺寸时，应敲击卡钳口，不应敲卡钳的两个侧面。　　　　　　　　　　　　　　　　　（√）

6．游标卡尺不能作划线工具和夹持工作，不准测粗糙的表面或磁性工件。　　　　　　　　　　　　（√）

7．表面粗糙度是由于切削过程中刀痕、切屑分裂时的塑性变形及振动等原因造成的。　　　　　　　（√）

8．金属在冲击力作用下，仍不破坏的能力叫硬度。

（×）

9．一般为提高耐腐蚀性，常在管件表面镀锌。　（√）

10．当管材安装在需要经常维修、更换、拆卸的位置时，管径大于 $DN50$ 时常使用法兰连接。　（√）

11．扑灭电石火灾时，需用干砂和二氧化碳灭火器，可以用水灭火。　（×）

12．乙炔罐与焊接地点之间的距离应大于 8m。　（√）

13．电流经过的路径称为电路。最简单的电路是电源、负载和连接导线组成。　（√）

14．在电路中任一点都有电位，电流从低电位流向高电位，高、低电位之差称为电位差　（×）

15．电源额定电压的等级由国家制定颁布。　（√）

16．欧 姆 定 律 公 式：$I = R/E$，I——电 流 （A）；R——电阻 （Ω）；E——电压 （V）。　（×）

17．磁场是磁力所能作用到的范围，同性相斥，异性相吸。　（√）

18．在交流电路中，每一瞬间电流、电压和电动势的数值都不相同。　（√）

19．燃气用具是将燃气的化学能转化为热能供人们使用的器具。　（√）

20．燃气用具按适应的燃气额定压力分为低压燃气燃气用具和中压燃气燃气用具。　（×）

21．民用燃气用具属于低压燃气燃气用具其燃烧方式为扩散式。　（×）

22．每个燃气用具都有相应的额定热负荷。　（√）

23．热效率是显示燃烧设备的燃烧与传热的综合效果。它是有效利用的热量占燃烧器燃烧放出热量的百分数。
　（√）

24．人工燃气用气设备燃烧器的额定压力为 2.0kPa。

（×）

25．燃气用具一般在热负荷可能调节范围内，火焰仍应能稳定燃烧。

（√）

26．在燃烧设备上必须有安全设施，或采取安全应用措施才能作用。

（√）

27．民用燃气用具的燃烧器主要由引射器和头部组成。

（√）

28．当燃气压力及华白指数在设计允许范围内，燃气灶的实际热负荷与设计的额定热负荷相差数值不应大于±10％。

（×）

29．炊具燃烧稳定性好，在自动或手动控制调节范围内，可以发生回火和脱火。

（×）

30．点燃燃烧器一个火孔，火焰应迅速传遍燃烧器的所有火孔。

（√）

31．燃烧器火焰内、外锥分明，可以有黄焰出现。（×）

32．在额定热负荷下，烤箱在点火 20min 后箱内温度应上升到280℃。

（√）

33．烤箱内温度分布应均匀，在同一平面各测点的温度差不应大于 50℃。

（×）

34．民用热水器按其构造形式为容积式、直流式和平衡式三种。

（×）

35．直接排气式热水器不能安装在浴室内，应安装在通风情况良好的房间内。

（√）

36．热水器进水管压力不低于 0.02MPa 时，燃气才能通向主燃烧器。

（×）

37．当打开或关闭热水器的主燃烧器时，小火燃烧器的

火焰瞬时熄灭。 （×）

38．热水器当工作过程中外壳表面温度不应超过80℃。
（✓）

39．皮膜式燃气表的作用温度范围为＋5～35℃。 （✓）

40．皮膜式燃气表的工作压力范围为50～300mmH₂O。
（✓）

41．引入管进户只装有一块燃气表属于共用，装有两块或两块以上属于自用。 （×）

42．户内燃气管道使用低压燃气的，当管径≤DN65时采用焊接钢管用丝扣连接。 （✓）

43．户内燃气管道上的总阀门，一般采用闸阀。 （×）

44．户内管道系统发生漏气主要是由于用户使用不当造成的。 （×）

45．户内管道系统如发生堵塞，轻者燃气用具火小影响使用效果，重者燃气用具根本点不着火。 （✓）

46．燃气表的故障通常有漏气、不通气、计量不准、胀破和外力作用损坏。 （✓）

47．引入管一般从室外直接进入厨房或穿过地下室，进入厨房。 （×）

48．引入管的地下弯管处应采用煨弯，弯曲半径不得小于弯管直径的4倍。 （✓）

49．引入管的引入方式可以分为地上引入和地下引入两种。 （✓）

50．户内管道的立管上装有水平干管或水平支管，将燃气输送到各厨房。 （✓）

51．立管的上、下两端设有丝堵，作用是安装方便。
（×）

52. 室内燃气管道，一般选用镀锌钢管，也可以采用黑铁管。 （√）

53. 燃气表一般装在建筑物的外部。 （×）

54. 燃气表的安装方式可分为高位安装和低位安装两种方式。 （√）

55. 灶具安装位置应光线充足，避免穿堂风直接吹在灶具上，且周围一定范围内没有易燃易爆物品。 （√）

56. 直排式热水器应安装在空气流通的地方，可以装在浴室里。 （×）

57. 热水器的冷水管上应装有阀门。 （√）

58. 户内燃气管道工程试压一般分为强度试验和严密性试验。 （√）

59. 做强度试验时应用涂肥皂液的方法进行查漏。 （√）

60. 处理漏气后就不必再进行强度试验了。 （×）

61. 对户内燃气管道进行完强度试验，不必再进行气密性试验。 （×）

62. 燃气管道置换空气的方法一般有两种，惰性气体置换和燃气置换法。 （√）

63. 灶具回火可能是由于燃气压力高于灶具额定工作压力就容易回火。 （×）

64. 一次空气系数过小会造成灶具脱火。 （×）

65. 对户内燃气管道除锈只能用人工不能用机械除锈。 （×）

66. 丝扣可以分为圆柱管螺纹和圆锥管螺纹。 （√）

67. 由于无缝管的外径与水燃气管的外径尺寸不同，可用螺纹连接。 （×）

68. 一般严禁用明火试漏，未经领导同意不许带气作

40

业。 （√）

69．决定燃气互换性的是指燃气的燃烧特性指标：华白指数和燃烧势。 （√）

70．燃烧势是一项反映燃气用具燃气燃烧稳定状况的单一指标。 （×）

71．人工燃气质量指标其中一氧化碳含量（体积%）宜小于 10。 （√）

72．无毒燃气泄漏到空气中，达到爆炸下限的 10% 浓度时，应能察觉。 （×）

73．一氧化碳使人体中毒的原因是破坏了人体中血液正常供氧能力。 （√）

74．燃气是由多种可燃气体组成的混合气体。 （×）

75．单位质量燃气所具有的容积称为燃气的密度。（×）

76．$1Nm^3$ 干燃气中所含有的水蒸气质量称为燃气的含湿量。 （√）

77．燃气热值是指单位数量燃气完全燃烧时所放出的部分热量。 （×）

78．燃气管网由于用户的实际需要，管网采用不同压力级制。 （×）

79．城市燃气全年用气量是规划城市燃气管网和计算设备通过能力的重要依据 （√）

80．用于输送燃气的管材，应具有足够的机械强度与优良的抗腐蚀性、抗震性以及气密性等各项忭能。 （√）

81．当前在燃气工程中使用的塑料管主要用在中压输配管线上。 （×）

82．输送燃气的钢管腐蚀主要是外壁腐蚀。 （×）

83．燃气工程中闸阀可以安装在水平管段上。 （√）

84.在一般情况下,燃气管道可以穿过其他管道。(×)

85.由专用燃气调压站向燃气锅炉房引入的燃气管道可采用双管。　　　　　　　　　　　　　　　　　　　(√)

86.任何种类的热水器都由水供应系统、燃气供应系统、热交换系统、烟气排除系统和安全控制系统五部分组成。　　　　　　　　　　　　　　　　　　　　　　(√)

87.燃气同空气混合,在爆炸极限范围内即可爆炸。

　　　　　　　　　　　　　　　　　　　　　　(×)

88.装有燃气设施的厨房切忌住人,而且不准堆放易燃易爆物品。　　　　　　　　　　　　　　　　　　(√)

89.居民用户的一切燃气设施不允许私自拆装或迁移。

　　　　　　　　　　　　　　　　　　　　　　(√)

90.安装热水器的房间,可以有电力明线和易爆品。

　　　　　　　　　　　　　　　　　　　　　　(×)

91.室内存在二氧化硫、二氧化碳不会使人中毒。(×)

92.用户引入管不得敷设在卧室、浴室、地下室、易燃易爆仓库等地方。　　　　　　　　　　　　　　　(√)

93.用户的燃气表要布置在温度不小于 5℃、干燥、通风良好、查表方便的地方。　　　　　　　　　　　(√)

94.天然气的主要成分是氢气,此外还含有少量的甲烷。　　　　　　　　　　　　　　　　　　　　　　(×)

95.由于液化石油气中主要成分的临界温度较低,故较难液化。　　　　　　　　　　　　　　　　　　　(×)

96.户内管试漏可用肥皂水涂抹在阀门、管件等接口处。　　　　　　　　　　　　　　　　　　　　　　(√)

97.手持式电动工具使用前必须进行外观和电气检查。

　　　　　　　　　　　　　　　　　　　　　　(√)

98．移动式电动设备一次线长为 2m。 （×）

99．以固体或液体可燃物为原料，经各种热加工制得的可燃气体称为干馏燃气。 （×）

100．户内燃气管道通常用的防腐办法是只涂一层防锈漆即可。 （×）

101．户内管的连接方式根据其管径大小分焊接和螺纹连接。 （√）

102．挪动手持式电动工具时，只能手提握柄。 （√）

103．遇有人触电，为及时救护可以用手拉触电人，使其脱离电源。 （×）

104．户内燃气管作气密性试验介质通常用燃气。 （×）

105．燃烧稳定性好的燃烧器，在自动或手动控制调节范围内，不应该发生回火、离焰等现象。 （√）

106．热水器通常不装有水—气连锁装置，但必须有熄火保护装置和防风器等安全装置。 （×）

107．低压燃气管道的煨弯半径是通过计算得出的，与本身管道的管径无关。 （×）

108．任何燃气用具的燃烧产物中都含有水蒸气、二氧化碳。 （√）

109．民用燃气灶具的燃烧方式通常为无陷式。 （×）

110．方厅、阳台一般允许安装燃气灶。 （×）

111．室内燃气立管的最上端装有丝堵，便于放散。 （√）

112．引入管的坡度应大于等于 5‰，并坡向庭院管。 （√）

113．燃气管道丝扣连接所选用的填料为聚四氟乙烯。 （√）

114．通常把压力表中所显示的压力数值称为绝对压力。

（×）

115．户内管做强度试验时，用涂抹肥皂液的方法，可检查漏气。

（√）

116．点不着火、漏气不是民用灶具中常见的故障。

（×）

117．城市燃气中要求 CO 的含量小于 10%。　（√）

118．室内管道安装完毕后，首先进行吹扫。　（√）

119．$CH_4 + 2O_2 = CO_2 + 2H_2O$。　（√）

120．天然气一般比空气重。　　　　　　　（×）

（二）选择题（将正确答案的序号填在每题横线上）

1．本地区管道燃气的低热值约　C　。

A．3400kJ/m³　　　　　　B．3800kJ/m³

C．14280kJ/m³　　　　　　D．4800kJ/m³

2．本地区天然气的低热值约　C　。

A．45000kJ/m³　　　　　　B．34000kJ/m³

C．41000kJ/m³　　　　　　D．300kJ/m³

3．液化石油气的低热值约　B　。

A．90000kJ/m³　　　　　　B．114000kJ/m³

C．140000kJ/m³　　　　　D．14280kJ/m³

4．管道燃气人工燃气的密度与空气的密度相比　A　。

A．比空气轻　　B．比空气重　　C．与空气相等

5．管道燃气人工燃气的密度与液化石油气的密度相比

　B　。

A．比液化石油气重　　　　B．比液化石油气轻

C．与液化石油气相同

6．管道燃气密度与天然气的密度相比　A　。

44

A.比天然气轻　　　　B.比天然气重

C.与天然气相等

7.天然气的密度与液化石油气的密度相比　B　。

A.比液化石油气重　　　　B.比液化石油气轻

C.与液化石油气相等

8.管道燃气的相对密度　B　。

A.大于1　　　B.小于1　　　C.等于1

9.天然气的相对密度　B　。

A.大于1　　　B.小于1　　　C.等于1

10.液化石油气的相对密度　A　。

A.大于1　　　B.小于1　　　C.等于1

11.当家用燃气用具燃烧时，发生火焰不清、火混时，可以采用下列措施来解决　B　。

A.调小风门　　　　B.调大风门

C.开大燃气开关　　D.调小燃气开关

12.当燃气用具燃烧时，易发生回火，可以采用下列措施解决　D　。

A.疏通出火孔　　　B.关小燃气开关

C.调风门　　　　　D.疏通燃气喷嘴

13.当燃气用具燃烧时，发生火焰不清、火混时，可以采用下列措施　A　。

A.调大风门　　　　B.疏通出火孔

C.开大燃气开关　　D.调小风门

14.目前本市管道燃气（人工燃气）调压器出口压力为　B　。

A.1500mmH$_2$O　　　B.1500Pa

C.1.5kg/cm^2　　　　D.1500Pa

45

15. 管道燃气（人工燃气）灶前燃烧压力应为 __A__ 。

A.1000Pa   B.900Pa

C.800Pa   D.500Pa

16. 热水器的安装高度，宜满足观火孔离地距离要求为
__D__ 。

A.1000mm   B.1700mm

C.1800mm   D.1500mm

17. 在进行户内燃气管道及设备漏气点检查时，可采用
__B__ 。

A.U 形管   B. 肥皂液

C. 明火   D. 浇水

18. 热水产率为 5L 的热水器，每小时耗管道人工燃气
（低热值按 14235kJ/m³ 计）约 __D__ 。

A.4.0m³/h   B.3.2m³/h

C.3.5m³/h   D.2.7m³/h

19. 热水产率为 8L 的热水器，每小时耗管道人工燃气
（低热值按 14235kJ/m³ 计）约 __C__ 。

A.5.5m³/h   B.5m³/h

C.4.5m³/h   D.3.5m³/h

20. 热水产率为 5L 的热水器，每小时耗天然气约
__B__ 。

A.0.88m³/h   B.0.96m³/h

C.10.8m³/h   D.1.20m³/h

21. 热水产率为 8L 的热水器，每小时耗天然气约
__D__ 。

A.2m³/h   B.1.7m³/h

C.1.2m³/h   D.1.5m³/h

22．热水产率为 5L 的热水器，每小时耗液化石油气约 __A__。

    A．0.8kg／h   B．1kg／h

    C．1.2kg／h   D．1.5kg／h

23．热水产率为 8L 的热水器，每小时耗液化石油气约 __B__。

    A．1.1kg／h   B．1.3kg／h

    C．1.5kg／h   D．2kg／h

24．热水产率为 10L 的热水器，每小时耗管道燃气约 __D__。

    A．4.5m^3／h   B．5m^3／h

    C．4m^3／h   D．5.5m^3／h

25．热水产率为 10L 的热水器，每小时耗天然气约 __C__。

    A．1.55m^3／h   B．1.75m^3／h

    C．1.92m^3／h   D．2.0m^3／h

26．热水产率为 10L 的热水器，每小时耗液化石油气约 __A__。

    A．1.62kg／h   B．1.80kg／h

    C．2kg／h   D．2.2kg／h

27．管道燃气的爆炸下限，它是指燃气在混合气中，引起燃烧的最低浓度约 __B__。

    A．3%   B．5%   C．8%   D．10%

28．管道燃气的爆炸上限，它是指燃气在混合气中，引起燃烧的最高浓度约 __D__。

    A．80%   B．70%   C．60%   D．55%

29．热水产率为 8L 的热水器，它是指 __B__。

A. 每分钟出热水 8L

B. 每分钟出温度 25℃ 的热水 8L

C. 每小时出 25℃ 的热水 8L

D. 每小时出水 8L

30. 燃气燃烧前预先混入的部分空气量称为＿＿B＿＿。

A. 理论空气量　　　　　B. 一次空气量

C. 过剩空气量　　　　　D. 进气量

31. 燃气燃烧前预先混入空气量与理论空气量之比称为
＿＿A＿＿。

A. 一次空气系数　　　　B. 过剩空气系数

C. 引射系数　　　　　　D. 进气系数

32. 民用燃气用具属于低压燃气燃气用具，通常采用的
燃烧方式是＿＿A＿＿。

A. 大气式　　　　　　　B. 扩散式

C. 无焰式　　　　　　　D. 有焰式

33. 民用液化石油气燃气用具额定使用压力是＿＿C＿＿
kPa。

A. 2.0　　　B. 2.5　　　C. 2.8　　　D. 3.3

34. 民用燃烧器主要由引射器和＿＿B＿＿组成。

A. 喷嘴　　　B. 头部　　　C. 调风板　　D. 混合管

35. 当燃气压力及华白指数在设计允许范围内，燃气灶
的实际热负荷与设计的额定热负荷相差数值不应大于
±＿＿A＿＿%。

A. 5　　　　　B. 6　　　　　C. 7　　　　　D. 8

36. 当热负荷为额定热负荷的 70%～120%，燃气实用
华白数波动 ±5% 时，燃气灶热效率不应低于＿＿B＿＿%。

A. 40　　　　　B. 55　　　　　C. 60　　　　　D. 65

48

37．计算烤箱最大热负荷公式是＿C＿。

A．$I = 30B$ 　　　　B．$I = 800 + 30B$

C．$I = 900 + 30B$ 　　D．$I = 900 + B$

38．直流式快速热水器＿B＿种的排气方式在使用中必须安装在通风情况良好的房间内。

A．烟道排气式 　B．直接排气式 　C．平衡式

39．热水器的供水系统在水压＿C＿MPa 时不得漏水，并在启闭时不发生水击现象。

A．0.2 　　B．0.4 　　C．0.6 　　D．1

40．当热负荷为额定热负荷 70％～120％，燃气华白指数波动 ±5％时，热水器效率不低于＿B＿。

A．80％ 　B．85％ 　C．90％ 　D．95％

41．民用燃气表的型号中 R 表示＿C＿。

A．天然气 　B．液化石油气 　C．人工燃气

42．民用皮膜式燃气表的工作压力范围是：＿A＿
mmH$_2$O。

A．50～300 　　　B．55～350

C．60～400 　　　D．65～450

43．燃气表的压力损失，要求在额定流量时，不得超过
＿B＿Pa。

A．100 　B．127 　C．200 　D．220

44．检验燃气表时，当用空气作介质连续运行 500h 以后，示值允许误差应不大于 ±＿C＿％。

A．1 　　B．2 　　C．4 　　D．6

45．我国城镇低压燃气管道的压力范围是＿D＿MPa 表压。

A．$P \leqslant 0.01$ 　　　B．$P \leqslant 0.007$

C.$P \leqslant 0.006$ D.$P \leqslant 0.005$

46.拆除户内燃气管道系统的全部或其中的一部分工程性质属于__C__。

A.新装   B.添装   C.拆除   D.位移

47.安装燃气灶的房间净高不得低于__D__m。

A.2.0   B.2.1   C.2.15   D.2.2

48.燃气灶的厨房内一对面墙之间应有不小于__D__m的通道。

A.0.5   B.0.6   C.0.8   D.1

49.具有结构简单、体积小、操作方便、密封性能好、开启方便迅速、通径大、阻力小、密封面不易结垢等优点的阀门是__D__。

A.旋塞阀   B.截止阀   C.闸阀   D.球阀

50.民用燃气用具在正常工作情况下,当一次空气系数小时会出现__A__现象。

A.黄焰   B.点不着火   C.回火   D.脱火

51.引入管对温暖地区宜采用__B__。

A.地下引入   B.地上引入

52.进户总阀门一般设置在室内距地面__A__mm的水平短管上,短管两端均有带丝堵的三通。

A.500   B.550   C.600   D.650

53.立管穿过楼板处应有套管,套管上部应高出地面__C__mm,管口做密封,套管下部与房顶平齐。

A.20~30   B.30~40   C.50~100   D.55~150

54.立管公称直径为40mm时,选择套管的规格应为__B__mm。

A.50   B.65   C.80   D.100

55．在北方地区，水平干管一般装在二楼，通过门厅及楼梯间，安装高度距地面不低于 D m。

　　A.1.5　　　　B.1.7　　　　C.1.8　　　　D.2.0

56．水平干管每间隔 C m 左右装一个托钩，每通过一个自然间或长度 10m 时，应设一个活接头。

　　A.3　　　　B.3.5　　　　C.4　　　　D.5

57．水平干管距房顶的净距不小于 B mm。

　　A.100　　　　B.150　　　　C.200　　　　D.250

58．燃气户内居民用户管道水平支管距厨房地面不低于 D m，上面装有燃气表及表前阀门。

　　A.2　　　　B.1.9　　　　C.1.7　　　　D.1.8

59．管道安装应横平竖直，水平管应有 A 的坡度，并分别坡向立管或灶具，不准发生倒坡和凹陷。

　　A.0.003　　　B.0.002　　　C.0.001

60．室内燃气管道与墙面的净距：当管径小于 25mm 时，不少于 C mm。

　　A.15　　　　B.20　　　　C.30　　　　D.35

61．室内燃气管道一般采用丝扣连接，丝扣拧紧之后，在管件外露 B 扣为宜。

　　A.1～2　　　B.2～3　　　C.3～4　　　D.4～5

62．家用燃气表一般安装在 C 。

　　A. 卧室　　　B. 厕所　　　C. 厨房　　　D. 建筑物外部

63．燃气表采用高位表安装，表底离地面最小不应少于 D m。

　　A.1.9　　　　B.1.8　　　　C.1.7　　　　D.1.6

64．燃气表安装时距出厂日期最多不应超过 D 月。

　　A.9　　　　B.8　　　　C.7　　　　D.6

65. 燃气表与灶具的水平净距最少不得小于__A__m。

A.0.3　　　B.0.4　　　C.0.5　　　D.0.6

66. 安装热水器时，顶部距顶棚应大于__D__m，上部不得有电力明线、电器设置和易燃物。

A.0.3　　　　B.0.4　　　　C.0.5　　　　D.0.6

67. 户内燃气管道强度试验范围由引入口阀门到燃气表前阀门试验压力为__A__MPa。

A.0.1　　　B.0.15　　　C.0.16　　　D.0.17

68. 户内燃气管道系统严密性试验京津地区规定：连上表、灶后，试验压力为__B__mmH_2O，观测 5min 压力降不超过 $20mmH_2O$ 为合格。

A.700　　　B.300　　　C.500　　　D.400

69. 燃气燃气用具严密性试验__C__kPa 下进行观测 1min，检查无漏气为合格。

A.1.1　　　B.1.2　　　C.1.5　　　D.2

70. 室内燃气管道采用__B__置换空气的方法操作简单、费用省、安全有保障，效果好。

A. 惰性气体　　　　　　B. 燃气

71. 燃气表的检定期限一般为__A__年，到期限应拆回整修，并重新检定。

A.5　　　B.6　　　C.7　　　D.8

72. 公称直径是为了设计、制造和维修的方便而人为规定的一种标准直径；阀门和铸铁管的内径与公称直径__C__。

A. 不相等　B. 大于　C. 相等　D. 小于

73. 公称压力是在__B__℃下的工作压力。

A.100　　　B.200　　　C.300　　　D.400

74.链钳是用来拆装口径大于 __A__ mm 以上的管子。它用链条缠绕在管子上，咬住管子转动。

A.80　　　　B.100　　　　C.125　　　　D.150

75.表示房屋占地的大小，内部的分隔、房间的大小、台阶、楼梯、门窗等局部的位置和大小，墙的厚度等的图为 __A__ 。

A.平面图　B.立面图　C.剖面图　D.建筑详图

76.能同时反映出管线空间走向的实际位置在图中注有管道编号、管径和标高、坡度坡向等的图是 __B__ 。

A.管道平面图　　　　　B.管道轴测图

C.详图　　　　　　　　D.管道立面图

77.机件向基本投影面投影所得到的视图为 __C__ 。

A.局部视图　　　　　　B.旋转视图

C.基本视图　　　　　　D.斜视图

78.用于安装管道、设备时找平用的尺子为 __A__ 。

A.长水平尺　　　　　　B.钢卷尺

C.钢直尺　　　　　　　D.直角尺

79.游标卡尺是用来测量工件长度、宽度、深度及内外直径的一种精密量具，其测量精度为 __D__ 。

A.0.05mm 以下　　　　B.0.1mm 以上

C.0.1mm　　　　　　　D.0.05～0.1mm

80.管材的弯曲采用冷弯在管径小于 __C__ 时，可以用手动弯管器弯曲。

A.65mm 以下　　　　　B.50mm 以下

C.40mm 以下　　　　　D.40mm 以上

81.电源产生电位差的能力称为 __B__ 。

A.电压　　B.电动势　　C.电流　　D.电阻

82．电流做功的功率称为电功率，单位是　A　。

　　A．瓦特　　　B．安培　　　C．伏特　　　D．欧姆

83．在正常供电情况下，为满足用电需要而设置的电源是　C　。

　　A．保安电源　　　　　　B．自备电源

　　C．工作电源　　　　　　D．其他

84．人工燃气质量指标中其含氧量（体积％）应小于　B　。

　　A.5　　　　　B.1　　　　　C.0.5　　　　D.0.1

85．纯天然气的爆炸极限范围为（空气中体积％）　A　。

　　A.5.0～15.0　　　　　　B.4.2～14.2

　　C.1.7～9.7　　　　　　D.8.8～24.4

86．我国城市燃气管道压力分级标准中中压的压力范围应为　D　MPa。

　　A.0.005 以下　　　　　B.0.005 以上

　　C.0.005　　　　　　　D.0.005～0.15

87．公用燃气表对环境的温度要求应不低于　B　℃。

　　A.10　　　　B.5　　　　　C.3　　　　　D.0

88．在理论空气量下，燃气完全燃烧产生的烟气量组成应为　D　。

　　A.CO_2、H_2O、N_2　　　B.SO_2、CO_2、H_2O

　　C.CO_2、CO_2、N_2　　　D.CO_2、SO_2、N_2 和 H_2O

89．大气式燃烧器、燃气中预先混入一部分空气其一次空气系数　C　。

　　A.$a=0$　　　B.$a=1$　　　C.$0<a<1$　　　D.$a>1$

90．国内一般双眼灶使用人工燃气其灶前额定压力为

54

__B__ Pa。

A.500   B.800   C.2000   D.2800

91.城市燃气的华白指数波动范围，不宜超过__A__%。

A.±7   B.±10   C.±15   D.±20

92.气态的液化石油气比空气重，约为空气的__C__倍。

A.1.0   B.1.2   C.1.5   D.2.0

93.当钢管壁厚在4.0mm以下进行焊接时应采用__A__形状坡口为宜。

A.Ⅰ   B.Ｖ   C.×

94.地下燃气管道埋设深度应在冰冻线以下，管顶覆土厚度不得小于__B__m。

A.0.5   B.0.8   C.1   D.1.5

95.低压地下燃气管道与相邻的街树（至树中心）的最小水平净距不小于__C__m。

A.1   B.1.1   C.1.2   D.1.3

96.低压热水器的供水压力不大于__C__MPa。

A.0.2   B.0.3   C.0.4   D.0.5

97.在居民进气总管上设有总阀门，设置在离地面__D__m处。

A.1.0   B.1.2   C.1.4   D.1.5

98.识读单张图样的顺序是__B__。

A.文字说明→标题栏→数据→图样

B.标题栏→文字说明→图样→数据

C.图样→文字说明→数据→标题栏

D.数据→图样→标题栏→文字说明

99.天然气的相对密度大约为__B__。

A.0.4   B.0.6   C.1.0   D.1.5

100．我国规定在特潮湿地点或金属容器内安全电压不得超过___C___V。

A.36 　　　　B.24 　　　　C.12 　　　　D.6

101．电焊机的二次线可以使用___D___接工件。

A．角钢 　　　B．扁钢 　　　C．圆钢 　　　D．电焊线

102．对于工频电流摆脱电流应为___C___mA 左右。

A.100 　　　　B.50 　　　　C.10 　　　　D.1

103．对于热水器，在使用过程中，外壳表面温度不应超过___B___℃。

A.30 　　　　B.50 　　　　C.70 　　　　D.90

104．在安装热水器时，热水器与墙的净距应大于___B___mm。

A.10 　　　　B.20 　　　　C.30 　　　　D.40

105．户内水平干管距屋顶的净距应不小于___C___mm。

A.50 　　　　B.100 　　　　C.150 　　　　D.200

106．在安装户内燃气管道时，其水平支管与厨房地面距离应不低于___C___mm。

A.1.5 　　　　B.1.6 　　　　C.1.7 　　　　D.1.8

107．户内燃气管道中的主管 DN40，在穿过楼板时加套管，套管直径应为___B___mm。

A.80 　　　　B.70 　　　　C.100 　　　　D.125

108．燃气灶与背面砖墙的净距离不小于___B___mm。

A.50 　　　　B.100 　　　　C.150 　　　　D.200

109．工频交流电的频率为___C___Hz。

A.30 　　　　B.40 　　　　C.50 　　　　D.60

110．发现有人在低压线路触电时，救护人员不得用___A___把触电人从电源上解脱出来。

A．铁棒　　　B．干木棒　　C．硬塑料棒　　D．干竹棒

111．工程换算中，100℃相当于绝对温度　　D　　K。

A.0　　　　　B.100　　　　　C.273　　　　　D.373

112．对于用户引入管来说，其管径均应最小不小于　　C　　mm。

A.15　　　　　B.20　　　　　C.40　　　　　D.50

113．用户引入管必须选用管材为　　A　　。

A．无缝钢管　　　　　　　B．有缝钢管

C．铸铁管　　　　　　　　D．塑料管

114．在压力单位换算中，1MPa相当于　　D　　Pa。

A.10　　　　　B.1000　　　　C.10^5　　　　D.10^6

115．在进行户内燃气表安装时，若在同一房间内需要安装两块或两块以上的燃气表，则燃气表之间需保持　　B　　m的距离。

A.0.1　　　　　B.0.15　　　　C.0.2　　　　　D.0.25

116．当户内燃气管道的管径大于50mm时，要求该管道应距水池　　B　　mm的距离。

A.100　　　　　B.200　　　　C.300　　　　　D.400

117．户内燃气管道表面进行防腐时，一般需刷漆　　B　　遍即可。

A.1　　　　　B.2　　　　　C.3　　　　　D.4

118．焦炉燃气的相对密度大约为　　A　　。

A.0.4　　　　　B.0.6　　　　C.1.0　　　　　D.1.5

119．安全电压等级线中的42、36、24、12、6（V）指的是　　C　　。

A．最大值　　B．有效值　　C．额定值　　D．瞬时值

120．双相触电对人体伤害是　　D　　。

A. 不大　　B. 较大　　C. 严重　　D. 最严重

121．对户内燃气管道进行强度试验时，试验压力为
__A__ MPa。

A.0.1　　B.0.15　　C.0.2　　D.0.25

122．进行户内水平干管安装时，要求每通过一个自然
间或长度超过__D__ m时，应设一个活接头。

A.2　　　　B.5　　　　C.8　　　　D.10

123．当户内燃气管道与给水、排水管相遇时，其水平
净距应不小于__B__ mm。

A.50　　　B.100　　C.150　　D.200

124．人工燃气中含有一定的萘杂物，通常采用熔解萘
的方法来清除管道中积萘，而萘的熔化温度为__C__ ℃。

A.50　　　B.60　　　C.70　　　D.80

125．我国城市燃气设计规范规定，作为城市燃气的人
工燃气，其低热值最低不小于__A__ MJ/Nm³。

A.14.7　　B.16　　　C.17.4　　D.18.7

126．可燃气体的爆炸上限是指可燃气体的含量__A__ 形
成爆炸混合物时的含量。

A. 一直增加到不能　　　　B. 一直减少到不能

C. 一直增加到可以　　　　D. 一直减少到可以

127．燃气主要有效成分是指__B__。

A.H_2　　　　　　　　　B.CH_4

C.H_2、CH_4　　　　　　D.CO、CH_4

128．在热与功的能量转换过程中，1卡的热量相当于
__A__ J的功。

A.4.184　　B.0.082　　C.8.314　　D.4.184×10³

129．在 $PV = nRT$ 中，当 P、V 取国际单位制中的单

58

位时，R 的取值是 __B__ 。

　　A.0.082atmL／（mol·K）　　　B.8.314J／（mol·K）

　　C.1.013×10⁵Pa　　　　　　　D.4.184J

　　130.1atm＝ __B__ mmHg

　　A.1.013×10⁵　　　　　　　B.760

　　C.1.013　　　　　　　　　D.101.3

　　131．当压力 P 取 atm，V 取 L，T 取 K，n 取 mol 时，R 的取值应为 __C__ 。

　　A.8.314　　B.0.0082　　C.0.082　　D.4.184

　　132.25℃换算成绝对温度时是 __D__ 。

　　A.300K　　B.273K　　C.273.15K　　D.298K

　　133．普通碳素钢中按机械性能分类，其表示应为 __B__ 。

　　A.B　　　　B.Q　　　　C.D　　　　D.C

　　134．用在燃气管道上的螺旋焊缝钢管的管径范围为 __A__ 。

　　A.$DN200 \sim DN700$　　　B.$DN100 \sim DN500$

　　C.$DN50 \sim DN200$　　　D.$DN40 \sim DN150$

　　135．聚乙烯（PE）管一般可在 __B__ ℃之间被熔化。

　　A.100～150　　　　　　B.190～240

　　C.200～300　　　　　　D.300～400

　　136．对埋地钢管的防腐绝缘层常用的加强级防腐作法应为 __C__ 。

　　A．三漆二布　　　　　B．四漆三布

　　C．五漆四布　　　　　D．二漆二布

　　137．城镇燃气管道的计算流量应按计算目的 __C__ 计算。

A．日最大　B．日平均　C．小时最大　D．小时平均

138．置换作业时，设置的临时放散点的放散管高度应高出地面的　D　m以上。

A.0.5　　　B.1.0　　　C.1.5　　　D.2.0

139．万用表使用完毕，应将其转换开关转到电压的　A　档。

A．最高　　　B．最低　　　C．中间　　　D．任意

140．为保障人身安全，在正常情况下，电气设备的安全电压规定为　B　。

A.24V 以下　　　　　　　B.36V 以下

C.12V 以下　　　　　　　D.48V 以下

141．人体触电时，致命的因素是　C　。

A．电阻　　　B．电压　　　C．电流　　　D．功率

142．手持式电动工具在一般场所使用，应选用　C　。

A．Ⅰ类　　　B．Ⅱ类　　　C．Ⅲ类　　　D．任意

143．手持式电动工具和移动式机电设备必须按要求使用　B　。

A．保险丝　　　　　　　　B．漏电保护器

C．短路保护　　　　　　　D．开关

144．纯天然气的爆炸极限范围为空气中体积（%）　A　。

A.5.0～15.0　　　　　　　B.4.2～14.2

C.1.7～9.7　　　　　　　D.8.8～24.4

145．气态的液化石油气比空气重，约为空气的　C　倍。

A.1.0　　　B.1.2　　　C.1.5　　　D.2.0

146．工程上，绝对压力 P、工作压力 p、大气压力 B

之间的关系为 __B__ 。

A. $P = p - B$　　B. $P = p + B$　　C. $B = p + P$

147. 设计压力小于 __A__ kPa 的管道，不应做强度试验。

A. 5　　　　B. 50　　　　C. 100　　　　D. 150

（三）计算题

1. 在理想气体状态方程中，当 $P = 1atm$，$V = 22.4L$，$T = 273K$，$n = 1mol$ 时，通常气体常数 R 值是多少？

【解】　已知 $P = 1atm$，$T = 273K$，$n = 1mol$，$V = 22.4L$

∵ $PV = nRT$

∴ $R = PV/nT = （1atm×22.4L）/（1mol×273K）$
　　　　　　　 $= 0.082atm·L/（mol·K）$

答：通常气体常数 R 值是 $0.082atm·L/（mol·K）$。

2. 体积为 $0.2m^3$ 的钢瓶盛有 CO_2：$0.89kg$，当温度为 $0℃$ 时，问钢瓶内气体的压力为多少？

已知：$V = 0.2m^3$，$m = 0.89kg = 890g$，$R = 8.314$ $J/（mol·K）$，$T = 273 + 0 = 273K$，$MCO_2 = 44g/mol$。求 $P = ?$

【解】　将 CO_2 视为理想气体

∵　$PV = nRT$　又∵ $n = M/M$

∴ $P_2 = nRT/V = mRT/MV = （890×8.314×273）/（44×0.2）= 2.30×10^5Pa$

答：钢瓶内气体压力为 $2.30×10^5Pa$。

3. $1mol N_2$ 在 $0℃$ 时，体积为 $70.3×10^{-6}m^3$，按理气状态方程计算气体压力。

已知 $P_{实验} = 40.53MPa$。

已知 $n = 1\text{mol}$, $MN_2 = 28\text{g/mol}$, $V = 70.3 \times 10^{-6}\text{m}^3$, $T = 273 + 0 = 273\text{K}$, $a = 0.141\text{Pa·m}^6\text{·mol}^{-2}$, $b = 0.0391 \times 10^{-3}\text{m}^3\text{·mol}^{-1}$。求：$P = ?$

【解】 $PV = nRT$

$P = nRT/V = (1 \times 8.314 \times 273) / (70.3 \times 10^{-6}) = 32.3\text{MPa}$

答：气体压力为 32.3MPa。

4.1mol 的 N_2 在 0℃时，体积为 $70.3 \times 10^{-6}\text{m}^3$，按范氏方程式计算气体的压力。

已知 $P_{实验} = 40.53\text{MPa}$, $n = 1\text{mol}$, $MN_2 = 28\text{g/mol}$, $V = 70.3 \times 10^{-6}\text{m}^3$, $T = 273 + 0 = 273\text{K}$, $a = 0.141\text{Pa·m}^6\text{·mol}^{-2}$, $b = 0.0391 \times 10^{-3}\text{m}^3\text{·mol}^{-1}$。求：$P = ?$

【解】 $(P + n^2 q/V^2)(V - nb) = nRT$

$P = nRt / (V - nb) - (n^2 q/V^2)$

$= [(1 \times 8.314 \times 273) / (70.3 \times 10^{-6} - 1 \times 0.0391 \times 10^{-3})] - [(1^2 \times 0.141) / (70.3 \times 10^{-6})^2]$

$= 44.3\text{MPa}$

答：气体的压力为 44.3MPa。

5. 在 101.3kPa 下使 1mol 液态水从 25℃ 转变为 120℃ 的水蒸气，计算所需热量，C_{H_2O} (L) $= 4.184 \times 10^3\text{J}$ (kg·K)（比热），L_{H_2O} (100℃) $= 2258.7 \times 10^3\text{J/kg}$, C_{pH_2O} (g) $= 30.13 + 11.30 \times 10^{-3}T$。

【解】 H_2O (L) $\rightarrow H_2O$ (L) $\rightarrow H_2O$ (g) $\rightarrow H_2O$ (g)

25℃ Q_1 100℃ Q_2 100℃ Q_3 120℃

1atm   1atm   1atm   1atm

$Q = Q_1 + Q_2 + Q_3$ $n = m/M$ $m = n \times M$

$$Q_1 = Cm\Delta t = CH_2OL \times n \times M \ (373K - 298K)$$
$$= 4.184 \times 10^3 \times 1 \times 18 \times 10^{-3} \times (373 - 298)$$
$$= 5.65 \times 10^3 J$$
$$Q_2 = mLH_2O \ (100℃) = 1 \times 18 \times 10^{-3} \times 2258.7 \times 10^3$$
$$= 40.7 \times 10^3 J$$

$$Q_3 = n\int_{373}^{393} C_pH_2O(g)dT = 1\int_{373}^{393} (30.13 + 11.30 \times 10^{-3}T)dT$$

$$= 30.13(393 - 373) + 1/2 \times 11.3 \times 10^{-3}(393^2 - 273^2)$$
$$= 6.89 \times 10^2 J$$
$$\therefore Q = Q_1 + Q_2 + Q_3 = 5.65 \times 10^3 + 40.7 \times 10^3 + 6.89 \times 10^2$$
$$= 47.04 \times 10^3 J$$

答:所需热量为 $47.04 \times 10^3 J$。

6. 氧气瓶的容量为 60L,压力表读数为 $25 \times 10^5 Pa$,氧气温度为 27℃,当地大气压为 95kPa,求瓶内氧气的质量。

已知: $V = 60L = 60 \times 10^{-3}m^3$ $T = 27 + 273 = 300K$

$P = 95kPa + 25 \times 10^5 Pa = 2.595 \times 10^6 Pa$

$MO_2 = 32g/mol$ $R = 8.314J/(mol \cdot K)$ 求 $m = ?$

【解】 $PV = nRT = (m/M)RT$

$m = PVM/RT = (2.595 \times 10^6 \times 60 \times 10^{-3} \times 32)/8$
$= 1.997 \times 10^3 g = 1.998kg$

答:瓶内氧气的质量为 1.998kg。

7. 如图:

已知: $E = 12V, R_1 = 1Ω, R_2 = 2Ω, R_3 = 3Ω$。

求: R_1、R_2、R_3 上的电压 V_1、V_2、V_3 各是多少?

【解】 总电阻 $R = R_1 + R_2 + R_3 = 1 + 2 + 3 = 6Ω$

电流 $Z = E/R = 12/6 = 2A$

电压 $PV_1 = ZR_1 = 2 \times 1 = 2V$

$\qquad V_2 = ZR_2 = 2 \times 2 = 4V$

$\qquad V_3 = ZR_3 = 2 \times 3 = 6V$

答：V_1 是 2V、V_2 是 4V、V_3 是 6V。

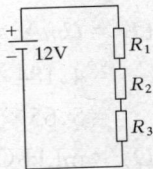

8. 如图：

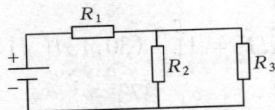

已知：$E = 6V$，$R_1 = 1\Omega$，$R_2 = R_3 = 2\Omega$。

求：Z_0、Z_1、Z_2、Z_3 及 V_1、V_2 各是多少？

【解】 R_2、R_3 是并联，其电阻 $R_{2,3}$ 与 R_1 是串联关系。

$R_{2,3} = 1/[(1/R_2) + (1/R_3)] = (2 \times 2)/(2 + 2) = 1\Omega$

$R = R_1 + R_{2,3} = 1 + 1 = 2\Omega$

$Z_0 = E/R = 6/2 = 3A \quad Z_1 = Z_0 = 3A \qquad Z_{2,3} = Z_0 = 3A$

$V_1 = Z_1 R_1 = 3 \times 1 = 3V \quad V_2 = Z_{2,3} \times R_{2,3} = 3 \times 1 = 3V$

$Z_2 = V_2/R_2 = 3/2 = 1.5A \qquad Z_3 = V_3/R_3 = 3/2 = 1.5A$

答：Z_0 是 3A、Z_1 是 3A、Z_2 是 1.5A、Z_3 是 1.5A、V_1 是 3V、V_2 是 3V。

9. 已知某一燃气的高热值为 $0.4MJ/Nm^3$，其相对密度为 0.56，试计算该燃气的华白指数。

【解】 $\qquad W = \dfrac{H_h}{\sqrt{S}} = \dfrac{0.4 \times 10^5 kJ/Nm^3}{\sqrt{0.56}}$

$\qquad\qquad = 0.53 \times 10^5 kJ/Nm^3$

答：该燃气的华白指数为 $0.53 \times 10^5 kJ/Nm^3$。

10. 在物理标准状态下，燃烧 $1m^3$ 燃气需要理论空气量

为 $3.4m^3$，现在燃烧 $5m^3$ 燃气，一次空气系数为 0.6。

求：预先混入的部分空气量？

【解】　$V' = a' \times V_0 \times L = 10.2m^3$

答：预先混入的部分空气量为 $10.2m^3$。

11. 在物理标准状态下，燃烧 $10m^3$ 燃气，供给空气量为 $48m^3$，该燃气的燃烧理论，空气量为 $3.2m^3$。

求：燃气在燃烧过程中的过剩空气系数？

【解】　$a = (V/L) /V_0 = 1.5$

答：燃气在燃烧过程中的过剩空气系数为 1.5。

12. 在物理标准状态下，在燃烧 $3m^3$ 燃气时，预先混入的空气为 $3.96m^3$，该燃气的燃烧理论空气量为 $3.2m^3$。

求：燃气在燃烧过程中的一次空气系数？

【解】　$a' = V'/V_0$

$= (4.8/3) /3.2 = 0.5$

答：燃气在燃烧过程中的一次空气系数为 0.5。

13. 一根燃气支管，如图所示。气源压力 $Pn = 1200Pa$，每户燃气用具的额定流量为 $1.6m^3/h$。

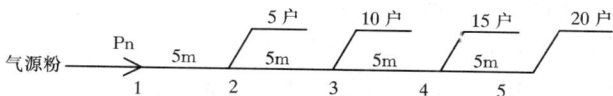

求：各管段的流量？

【解】　$L = K \times N \times Q$

答：$L_{4-5} = 14.4m^3$；$L_{3-4} = 22.4m^3$；$L_{2-3} = 28.08m^3$；$L_{n-3} = 30.4m^3$

14. 一根燃气管管径为 $50mm$，管内燃气平均流速为 $7m/s$。

求：该燃气管的断面流量？

【解】 $G = V \times F = 7 \times (50^2 / 4) \pi \times (3600 / 10^6)$

$$= 49.5 \text{m}^3 / \text{h}$$

答：该燃气管的断面流量为 $49.5 \text{m}^3 / \text{h}$。

(四) 简答题

1. 简述引起回火的原因？

答：(1) 燃气组分发生变化；

(2) 燃气压力降低；

(3) 喷嘴直径部分堵塞；

(4) 喷嘴与引射器安装不对；

(5) 风门开得太大；

(6) 火孔直径变大，混合气出口流速变慢；

(7) 燃气用具头部空气太大；

(8) 燃气用具头部过热，制作燃烧器的材料导热性差。

2. 简述管道中形成积水的原因？

答：由于人工燃气出厂温度较高，在输送过程中，随着温度的降低，形成冷凝水。如果不及时排除冷凝水，则管道中将形成积水，具体有以下几种可能：

(1) 不及时抽地下水井的积水；

(2) 不及时放地上管的集水管的积水；

(3) 因管线失坡形成"水袋"而积水；

(4) 因地下管的腐蚀穿孔或接扣松动，地区下水的渗漏而形成积水等。

3. 试述燃气中毒后的急救和护理？

答：(1) 将患者放到通风新鲜空气处；

(2) 解除有碍患者呼吸的一切障碍物，如纽扣、裤带等；

（3）不能让患者入睡，并注意保温；

（4）必要时进行人工呼吸或吸高压氧；

（5）在抢救过程中，还有间断心跳时，继续进行抢救不失去信心。

（6）如抢救中还有间断心跳，必须继续抢救，不失去信心。

4．什么叫燃气燃烧所需要的理论空气量（并写出它的单位)？

答：在标准状态下，1m³ 燃气，完全燃烧所需要的最小空气量。

单位：m³（空）/m³（燃）

5．什么叫一次空气系数（并写出它的符号)？

答：燃气燃烧前，预先混入的部分空气量与理论空气量之比，符合用 a' 表示。

6．什么叫过剩空气系数（并写出它的符号)？

答：燃气燃烧时，实际供给的空气量与理论空气量之比，符号用 a 表示。

7．什么叫扩散式燃烧？

答：燃气燃烧前，没有预先混入空气量，这种燃烧方式称扩散式燃烧。

8．什么叫大气式燃烧？

答：燃气燃烧前，预先混入部分空气，这种燃烧方式称为大气式燃烧。

9．什么叫无焰式燃烧？

答：燃气燃烧前，预先混入全部燃烧所需的空气量，这种燃烧方式称为无焰式燃烧。

10．什么叫着火浓度上限？

答：它是指燃气在其混合气中引起着火的最大浓度。

11．什么叫着火浓度下限？

答：它是指燃气在其混合气中引起着火的最小浓度。

12．什么叫燃气的高热值（并写出单位)？

答：在标准状态下，$1m^3$ 燃气完全燃烧后，其烟气冷却到原始温度所放出的热量，其中包括水蒸气凝结成水所放出的热量。

单位：kJ/m^3

13．什么叫燃气的低热值（并写出单位)？

答：在标准状态下，$1m^3$ 燃气完全燃烧后，其烟气冷却到原始温度所发出的热量，其中不包括水蒸气凝结成水所发出的热量。

单位：kJ/m^3

14．什么叫燃气的相对密度？

答：它是指燃气的密度与空气的密度之比。

15．燃气表故障有哪些？是什么原因引起的？

答：(1) 指针不动：传动机构卡住；

(2) 表慢：机械阻力过大；

(3) 表快：皮膜收缩、老化；

(4) 不通气：传动装置发生故障；

(5) 漏气：外壳腐蚀、门框密封圈失效等；

(6) 表内有响声：机械传动发生故障；

(7) 爆表：大面爆表，可能调压器失灵。单个表发生爆表，可能调表时，空气没有置换干净，引起爆表。

16．简述本市低压管道的分类，以及允许的压力降？

答：低压管分：干管、支管、用气管。

它们的允许压力降分别为：300Pa；200Pa；80Pa。

17．简述本市燃气输配系统的主要设备及作用？

答：（1）中、低压管网：输送燃气；

（2）气柜：储存燃气设备，可调节日负荷；

（3）压送机：燃气输配系统的心脏，提高燃气压力；

（4）调压器：是一种降压设备；

（5）附属设备：如地下管积水井、阀门、测压表等。

18．简述管道和设备外观检验的具体内容？

答：（1）坡度：管道敷设要有一定坡度，是否符合设计"规范"要求；

（2）稳定性：如支架间距是否符合设计"规范"要求；

（3）合理性；如设有重复管，零件要少等；

（4）美观性：在设备安装中，不歪、不斜等。

19．简述地上管需要重点检漏的地方？

答：（1）各类旋塞阀；（2）燃气表；（3）活接头；（4）丝接口；（5）灶具的供气管、开关、胶管；（6）集水管；（7）穿墙、穿楼板管；（8）管道弯曲部位；（9）焊接管的焊缝处。

20．简述大气式火焰的结构，在家用灶上如何调节火焰？

答：（1）大气式火焰它是由内焰和外焰组成的，内焰呈青绿色，外焰呈紫蓝色，温度最高在内焰的上方不远处，容易回火。

（2）当发生火焰很短，快要回火时，适当关小风门，当发生火焰混，分不清内、外焰时，适当开大风门。

21．燃气引入管及室内燃气管道不得敷设在哪些地方？

答：不得敷设在医院、浴室、厕所、密封的地下室、易燃、易爆品仓库、有腐蚀性介质的房间、配电室、变电室、电缆沟、暖气沟、烟道及风道等地方。

22．什么情况下引入管采用室外地上引入形式，室外地上管段有哪些主要标准要求？

答：当建筑物下有密封地下室、暖气沟引入管无法通过，或原有建筑物未做预留引入管不宜采取室内引入时，可采用室外地上引入形式，室外地上管段上端采取三通加丝堵，管外要做防腐，并加适当保温措施。

23．室内燃气管道上的总阀门有什么要求？

答：关于阀门的形式和安装位置按设计图纸进行施工，每幢住宅楼房的各进气总管上，均应设置总阀门，总阀门设在立管上时，阀门一般离地面 1.5m 处，总阀门设在水平管上时，阀门距离内地平 500～800mm 处，距墙净距不得小于 150mm，以保证维修方便为原则，并优先选用后者。

24．室内燃气管道上燃气表前阀有什么要求？

答：管径在 15～70mm 时，采用旋塞或球阀；直径 >80mm 时，采用法兰闸阀，与额定流量在 $3m^3/h$ 以下的膜式表进口相连的表前阀，可用接口式旋塞，如用普通旋塞时，在旋塞和燃气表之间加装由任，以利检修。

25．室内燃气管道与其他管线的净距要求是多少？

（1）与电缆引入管道线和水平净距不小于 300mm；

（2）与明（暗）装电线的水平净距不小于 100mm 交叉净距不小于 30mm；

（3）与仍装或设在墙内的闸箱、表盘、接线盒的水平净距不小于 100mm；

（4）与流水管、排水管、暖气管等的水平净距不小于 100mm，交叉的净距不小于 10mm；

（5）主立管与水池的净距不小于 200mm。

26．室内燃气管道安装对由任安装有什么要求？

答：水平干管每通过一个自然间或长度超过 10m 时应设一个由任在多层住室中，立管每隔一层楼应设一个由任，由任的设置以满足维修方便为准。

27．室内燃气管道的固定卡子有什么要求？

答：每楼层的室内立管至少设一个固定卡子，灶前下垂管上至少设一个卡子，如下垂管上有旋塞时，应在旋塞上下各放一个卡子，水平管除两端找钩外，管径小于等于 25mm 时，每 2m 增设一个卡子，管径在 >25～100mm 时，一般每 3m 增设一个卡子，管道弯头附近和长度超过 1m 的按灶水平管上增设一个卡子。

28．燃气表边缘到有关设备的水平净距应满足什么要求？

（1）到家用燃气灶具边⩾300mm；

（2）到砖砌烟窗⩾100mm；

（3）到金属排烟道⩾500mm；

（4）到低压电器⩾1000mm。

29．燃气灶边缘到有关建筑物设备的水平净距应满足什么要求？

（1）到侧面砖墙⩾200mm；

（2）到背面砖墙⩾100mm；

（3）到其他可燃性墙⩾100mm，并须在墙面上做铁皮隔热层；

（4）到另一台燃气灶⩾400mm。

30．方厅、阳台是否可安装燃气灶？

答：阳台（包括封闭的阳台）一律不允许安装燃气管道和表灶，特殊情况下，征得管理部门同意，在通风安全等允许的条件下，可在方厅指定位置安装表灶。

31. 简述户内燃气检修范围？

（1）漏气：由于户内燃气管道系统漏气易引起着火、爆炸和燃气中毒等事故，对人民的生命财产会带来很大的危害。

（2）堵塞：

（3）燃气表的故障：漏气、不通气、计量不准、胀破和外力作用损坏；

（4）阀门故障：漏气或不通气、开关不灵及关不严等故障；

（5）燃气用具故障：燃气用具主要故障有漏气、点不着火、黄焰、回火、脱火等。

32. 安装燃气表前应具备什么条件？

（1）燃气表的出厂合格证；

（2）燃气公司有关部门检验合格证；

（3）无任何明显损伤；

（4）距出厂日期不超过六个月；

（5）户内燃气管道系统施工和试压工作完毕。

33. 民用灶具脱火如何检修？

（1）调整调压站出口压力，使灶前压力正常；

（2）利用风门调整一次空气量；

（3）清洗火孔除掉火孔杂物；

（4）调整排气烟筒的抽力；

（5）及时排除废气；

（6）调整锅与燃烧器之间的间距，使火焰扫到锅底即可。

34. 用于燃气管道的钢管有什么要求？

答：施工所用的钢管材，必须持有出厂试压合格证，钢管表面不得有裂纹、疤、锈蚀、折叠等缺陷。不得有深度超过1mm的伤痕，管身要直，单根管子的弯曲弦高不得大于长度的千分之二。

35.管道沟槽有什么要求？

答：燃气管道的沟槽应按设计的位置和标高开挖，沟槽要直，槽宽、坡度符合要求，变坡点处要设立明显标志，沟底无积水和冰冻，基土不能扰动，不得长期晾槽。

36.燃气管道对法兰连接有什么要求？

答：法兰连接，对口应平整、紧密、受力均匀，同轴与管道中心线垂直，垫片位置正确，垫片选用3～5mm厚的耐油石棉橡胶垫，螺栓应紧固，螺帽应在同一面，螺栓露出螺帽长度，不应大于螺栓直径的1/2。

37.什么叫气体的临界温度和临界压力？

答：（1）当温度不超过某一数值，对气体进行加压可以使气体液化，而在该温度以上，无论施加多大的压力都不能使之液化，这个温度就称为该气体的临界温度；（2）在临界温度下，使气体液化所需的压力称为临界压力。

38.简述城市燃气输配系统的构成？

答：（1）城市燃气分配站；

（2）遥测、遥控、遥调、遥讯与电子计算机中心；

（3）贮气站；

（4）压缩机站、调压计量站、区域调压室；

（5）高压（或次高压）、中压、低压等不同压力的燃气管网。

39.对轻度燃气中毒的急救方法是什么？

答：（1）稍饮带有刺激性的饮料：如茶、咖啡等。用冷手巾敷头部使其清醒；

（2）盖上衣被，不使受凉，同时设法使之清醒，不使其入睡；

（3）必要时给以吸氧气。

40．对室内燃气管道安装的一般规定是什么？

答：（1）室内燃气管道为明设；

（2）管道安装要求横平竖直；

（3）水平管应保持3‰的坡度，分别由燃气表坡向立管或灶具；

（4）不准发生倒坡及局部凹陷现象。

41．燃气灶具安装的基本要求有哪些？

答：（1）燃气灶应安装在房间高度不小于2m的专用厨房内；

（2）房间应具有自然通气、自然采光；

（3）如利用卧室的套间作厨房时，应设门隔开。

42．手持式电动工具使用前应做哪些检查？

答：（1）外壳、手柄有否裂损，紧固件齐全有效；

（2）导线是否完好无损，插头是否完好无损，保护接地（零）是否正确牢固；

（3）开关动作是否灵活、正常、完好；

（4）电气和机械保护装置是否完好；

（5）工具转动部分是否无障碍。

43．在低压线路中如何使触电人迅速脱离电源？

答：（1）立即拉闸停电，距电闸较远时，可使用绝缘工具切断电源；

（2）应使用绝缘器具使触电人脱离电源；

（4）解救触电人，做好防护，以免触电人二次伤害。

44．燃气灶具发生脱火的原因有哪些？

答：（1）燃气压力过大，超过灶具额定压力；

（2）一次空气系数过大；

（3）火孔直径太小；

（4）燃气成分发生变化，燃烧速度小。

45．燃气灶具发生回火的原因有哪些？

答：①燃烧速度快；②燃烧压力过低；③喷嘴直径变大；④一次空气量增多；⑤遇风等。

46．造成用户引入管堵塞的主要原因有哪些？

答：①倒坡；②萘堵；③水堵、冰冻；④焦油、灰尘堵等。

47．分析燃烧产生黄焰的主要原因？

答：（1）一次空气量供给不足；

（2）经常用钢丝捅喷嘴，使之变大；

（3）燃气组分发生变化，热值不稳；

（4）燃气中有尘埃或混合管或头部存有大量铁锈、灰尘等杂物。

48．何谓直接置换？间接置换？

答：直接置换：采用燃气（或空气）置换管道和设备内的空气（或燃气）的过程称直接置换。

间接置换：采用惰性气体置换管道和设备内的空气（或燃气），再用燃气（或空气）置换管道和设备内的惰性气体的过程称为间接置换。

49．城市燃气管网的作用及布置原则是什么？

答：作用：要保证安全、可靠，不间断地供给各类用户正常压力和足够数量的燃气。

原则：要遵循我国的能源政策，全面规划在可能性研究的基础上，做到远、近期结合，以近期为主，经全面技术经济比较后确定合理的方案。

实际操作部分

1. 题目：室内燃气管道安装的基本操作和要求

考核项目及评分标准

序号	考核项目	评 分 标 准	满分	检 测 点					得分
				1	2	3	4	5	
1	工具准备		10						
2	套扣、安装	正确使用工具，丝扣表面要求端正光滑无毛刺，不掉丝，不乱丝	20						
3	质量要求	横平竖直，没有局部凹陷	40						
4	技术要求	坡度保持3‰，坡向正确	20						
5	其他	安设放散管、活接头、阀门	10						

2. 题目：检修户内燃气管道设施漏气

考核项目及评分标准

序号	考核项目	评 分 标 准	满分	检 测 点					得分
				1	2	3	4	5	
1	检修工具准备		10						
2	分析原因	说出阀门、灶、表、热水器、管道设施等漏气原因	30						
3	处理	针对具体情况做出处理	30						
4	安全操作	安全措施	30						

76

3. 题目：室内燃气管道对由任的安装

考核项目及评分标准

序号	考核项目	评 分 标 准	满分	检 测 点					得分
				1	2	3	4	5	
1	安装工具	必要的工具	10						
2	技术要求	保证质量符合安装规范	30						
3	安装要求	（1）由任的位置 （2）由任的质量要求	15 15						
4	安全要求	安全操作规程	30						

4. 题目：户内燃气设施的故障检修

考核项目及评分标准

序号	考核项目	评 分 标 准	满分	检 测 点					得分
				1	2	3	4	5	
1	燃气用具检修	回火、脱火、黄焰检修	40						
2	燃气表故障	漏气、表前黑、表针慢、快等	20						
3	热水器	常见故障	30						
4	堵塞	查堵	10						

5. 题目：安装燃气设施的厨房要求

考核项目及评分标准

序号	考核项目	评 分 标 准	满分	检 测 点					得分
				1	2	3	4	5	
1	结构要求	（1）通风 （2）高度	30						

序号	考核项目	评 分 标 准	满分	检 测 点					得分
				1	2	3	4	5	
2	安全要求	(1) 不允许有其他火源 (2) 隔热措施	20						
3	技术要求	(1) 硬连接 (2) 软连接	50						

6. 题目：安装民用燃气灶具

考核项目及评分标准

序号	考核项目	评 分 标 准	满分	检 测 点					得分
				1	2	3	4	5	
1	灶具要求	(1) 加热能力 (2) 额定压力 (3) 燃烧标准	20						
2	安装工具	必备工具	10						
3	安装质量	符合安装规范	20						
4	技术安全要求	达到安全安装指标	50						

7. 题目：引入管的安装

考核项目及评分标准

序号	考核项目	评 分 标 准	满分	检 测 点					得分
				1	2	3	4	5	
1	看图	识图	10						
2	煨弯	按图煨弯，达到技术要求	20						
3	安装操作	按图操作	40						
4	技术要求	符合安装规范	30						

78

8. 题目：入户总阀门的安装

考核项目及评分标准

序号	考核项目	评分标准	满分	检测点					得分
				1	2	3	4	5	
1	位置选择	根据不同情况选择合理的位置	10						
2	阀门选择	正确选择阀门	10						
3	实际操作	操作程序正确，安全符合要求	40						
4	验收	符合安装规定	40						

9. 题目：立管穿楼板的套管安装

考核项目及评分标准

序号	考核项目	评分标准	满分	检测点					得分
				1	2	3	4	5	
1	套管选择	选择合适的直径套管	10						
2	技术要求	(1) 高度 (2) 填料	30						
3	实际操作	操作正确	40						
4	验收	符合规范要求	20						

10. 题目：下垂管与灶具的连接

考核项目及评分标准

序号	考核项目	评分标准	满分	检测点					得分
				1	2	3	4	5	
1	连接方式选择	(1) 硬连接 (2) 软连接	10 10						

序号	考核项目	评 分 标 准	满分	检 测 点					得分
				1	2	3	4	5	
2	考克安装	符合安装要求	20						
3	技术要求	符合安装技术规范	30						
4	安全要求	符合规定	30						

第二章　中级燃气用具安装检修工

理论部分

（一）是非题（正确的划"√"，错误的划"×"，答案写在每题括号内）

1. 室内管的横向坡度不小于 2‰。　　　　　　　　（×）

2. 水平管道支架的最大间距，公称直径为 15mm 间距不超过 3m。　　　　　　　　　　　　　　　　（×）

3. 燃气管道与电线明敷（无保护管）最小的间距 150mm。　　　　　　　　　　　　　　　　　（×）

4. 管道的敷设坡度低压干管不小于 3‰。　　　　（×）

5. 管道的坡度原则，支管坡向集水器。　　　　　（×）

6. 公称直径为 32mm 的燃气管、水平敷设、支架的最大间距不超过 4m。　　　　　　　　　　　　　（×）

7. 在架设公称直径为 20mm 水平管道时，其支架的最大间距不超过 2.5m。　　　　　　　　　　　　（×）

8. 管道的坡向原则，小口径坡向支管。　　　　　（×）

9. 燃气管与熔丝合、电插座、电源开关最小的间距 130mm。　　　　　　　　　　　　　　　　　（×）

10. 燃气管与电表、配电箱的最小间距 200mm。（×）

11. 当燃气管与其他管相遇时，燃气管应位于其他管道之内侧。　　　　　　　　　　　　　　　　（×）

12. 地下引入管的最小公称直径 40mm。　　　　（×）

13. 燃气明支管在里弄内与架空电线平行设置时，燃气管应在电线上方，净距离应大于 300mm。　　　（×）

14. 热水器两侧与电器设备的净距大于 200mm，当无法

做到时，应采取隔热措施。   （×）

15. 地上燃气管竖管要求与水平管垂直，允许 2‰ 的偏斜。   （×）

16. 大气式火焰温度最高处在焰尖，约 1180℃。 （×）

17. 扩散式火焰温度最高处在火焰的中部偏上方。（×）

18. 当燃气的相对密度小于 1 时，室内发生燃气泄漏，燃气会沉积在低洼处。   （×）

19. 当燃气的相对密度大于 1 时，室内发生燃气泄漏，燃气会飘浮在室内高处。   （×）

20. 液化石油气的相对密度小于 1。   （×）

21. 人工气、天然气的相对密度大于 1。   （×）

22. 爆炸浓度下限，它是指燃气在其混合物中引起着火的最大浓度。   （×）

23. 爆炸浓度上限，它是指燃气在其混合物中引起着火的最小浓度。   （×）

24. 燃气预先和空气混合而进行的燃烧，称为扩散式燃烧。   （×）

25. 扩散式燃烧，一次空气系数在 0.5～0.7 之间。
                                                      （×）

26. 燃气预先混入部分空气量，而进行的燃烧，称为无焰式燃烧。   （×）

27. 大气式火焰的稳定性，主要指不回火、不离焰、不脱火、发生黄焰是允许的。   （×）

28. 燃气燃烧时，实际供给的空气量与理论空气量之比称为一次空气系数。   （×）

29. 燃气燃烧前，预先混入的部分空气量与理论空气量之比，称为过剩空气系数。   （×）

30．燃气快速热水器的热水由装在热水出口处的热水阀门进行控制叫前置式热水器。　　　　　　　　　　（×）

31．燃气快速热水器不得安装在其他燃气用具的上方，应错位设置，其间距不得小于 50mm。　　　　　（×）

32．烟道式燃气快速热水器可以和脱排油烟机共用烟道。　　　　　　　　　　　　　　　　　　　　　（×）

33．水平烟道必须做到绝对水平。　　　　　（×）

34．平衡式燃气快速热水器的供排气管如设置在走廊，其位置离卧室门、窗应有大于 1m 的间距。　　　（×）

35．燃气快速热水器离木质门、窗等易燃物的间距应保持 200mm。　　　　　　　　　　　　　　　　　（√）

36．燃气快速热水器的调试要根据楼层高度，燃气的种类、压力、调整二次压。　　　　　　　　　　　（√）

37．熄火保护装置的开阀时间不大于 45s，闭阀时间不大于 60s。　　　　　　　　　　　　　　　　　（√）

38．室内空气含氧在 18％左右时，缺氧保护装置动作。　　　　　　　　　　　　　　　　　　　　　（√）

39．燃气快速热水器的标准供水压力是 $1kg/cm^2$。（√）

40．在平面上表达空间物体形状和大小的方法称为投影法。　　　　　　　　　　　　　　　　　　　　（√）

41．斜投影法能反映出物体的真空形状和大小，且作图方便。　　　　　　　　　　　　　　　　　　　（×）

42．直线垂直于水平面，同时平行于正平面和侧平面是铅垂线。　　　　　　　　　　　　　　　　　　（√）

43．平面垂直于正平面，同时与水平面和侧平面倾斜叫铅垂面。　　　　　　　　　　　　　　　　　　（×）

44．平面平行于正平面，同时垂直于水平面和侧平面是

正平面。 （✓）

45．金属材料受外力作用时产生变形，当外力取消后，变形消失，材料恢复原状的性能称为弹性。 （✓）

46．动荷载是指大小或方向作周期性变换的荷载。（✕）

47．金属材料在荷载的作用下产生变形而不被破坏，当荷载去除后，其变形保留下来的性能叫塑性。 （✓）

48．金属材料的塑性与温度有关，温度越低，金属材料的塑性就越好。 （✕）

49．强度是指金属材料在外力作用下，抵抗塑性变形和断裂的一种性能。 （✓）

50．在交流电路中，每一瞬间电流、电压和电动势的数值都不相同。 （✓）

51．一个随着时间作周期性变化的电动势叫做正弦电动势。 （✕）

52．三相电动势的特点：电势最大值相同，角频率相同，相位差互为 120° （✓）

53．静电具有电压很高、能量大、静电感应和尖端放电等特点。 （✕）

54．气体中含有悬浮杂质，则在气体喷射时，由于悬浮杂质与气体之间的高速摩擦，都可使气体带电。 （✓）

55．以大气压强为零起算的压强值称为绝对压强。（✕）

56．以没有气体存在的绝对真空时压强为零作为计量起点，算出的压强值称为相对压强。 （✕）

57．若流体某处的绝对压强小于当地的大气压强，则该处处于真空状态，其真空程度用真空度 P_v 表示。 （✓）

58．流体中压强相等的点所组成的面称为等压面。（✓）

59．在流动的管道上取一过流断面，此时单位时间里通

过过流断面的流体体积或质量称为流量。　　　　（✓）

60．在能的转换过程中，任何形式的能量只能以一种形式转换为另一种形式，转换前后的能量不等。　　（✕）

61．根据能量守恒定律，在热能与机械能的转换过程中，工质从外界吸收的热量，全部用来对外界做功。（✕）

62．只要存在温度差，就会发生热量的传递；凡是有热量传递的过程都称为传热过程。　　　　　　　（✓）

63．加热和冷却是流体相态变化时的传热过程。　（✕）

64．流体在加热和冷却过程中，其温度发生变化，该温度变化是由于从外界得到热量或放出热量所引起的。（✓）

65．燃气是一种混合气体，它是不含有粘滞性的。（✕）

66．每 $1m^3$ 湿燃气中所含水蒸气质量称为燃气的绝对湿度。　　　　　　　　　　　　　　　　　　（✓）

67．燃气开始燃烧时的温度称为着火温度，不同可燃气体的着火温度是相同的。　　　　　　　　　（✕）

68．居民用户和公共建筑用户是城市燃气供应的基本用户。　　　　　　　　　　　　　　　　　（✓）

69．年用气量主要取决于用户的类型和数量。　（✕）

70．用于输送燃气的管材，必须具有足够的机械强度与优良的抗腐蚀性、抗震性以及气密性等性能。（✓）

71．金属腐蚀只是由于化学腐蚀造成的。　　　（✕）

72．作用下发生的反应是：$CH_4 + O_2 \longrightarrow CO_2$ 甲烷在氧的 $+ H_2$。　　　　　　　　　　　　　　　（✕）

73．燃气燃烧后的产物就是烟气。　　　　　　（✓）

74．着火温度不是一个固定数值，它取决于可燃气体在空气中的浓度及其混合程度、压力以及燃烧的形状与大小。

（✓）

75．燃气空气的混合气中，火焰面向已燃气体方向传播或燃烧的速度叫燃烧速度。　　　　　　　　　　　　（×）

76．燃烧的稳定性是以有无脱火、回火和光焰的现象来衡量。　　　　　　　　　　　　　　　　　　　（√）

77．某种燃气用具能在燃气性质变化范围较大的情况下正常工作则称该种燃气用具适应性较小。　　　（×）

78．燃气中不预混空气的燃烧器叫大气式燃烧器。（×）

79．家用燃气用具是指居民家庭使用燃气制作食品、热水及采暖时的用具。　　　　　　　　　　　　　（√）

80．在供气地区将燃气分配给居民用户、工业企业用户和公共建筑用户的管道叫分配管道。　　　　　（√）

81．将燃气从分配管道引到用户室内管道引入口处的总阀门叫引入管。　　　　　　　　　　　　　　（√）

82．通过用户管道引入口的总阀门将燃气引向室内，并分配到每个燃气用具的管道叫立管。　　　　　（×）

83．高 压 燃 气 管 道 的 压 力 范 围 是 $0.4\mathrm{MPa} < P \leqslant 0.8\mathrm{MPa}$。　　　　　　　　　　　　　　　　　（×）

84．当管道内燃气的压力不同时，对管道的材质、安装质量、检验标准和运行管理的要求也不同。　　（√）

85．城市燃气管网的两级系统是由低压力和中压，或中压和次高压管网组成。　　　　　　　　　　　（×）

86．调压站在城市燃气系统中是起调节压力和稳压作用的设施。　　　　　　　　　　　　　　　　　（√）

87．储配站是储存燃气，保证燃气正常供气的平衡设施。　　　　　　　　　　　　　　　　　　　　（√）

88．气源厂生产出来经过净化处理的燃气，应首先进入中压储气罐。　　　　　　　　　　　　　　　（×）

89．低压罐的储气压力在 300mmH$_2$O 以下，可以进行较远距离的输送。　　　　　　　　　　　　　　　　（×）

90．在中低压管道上每间隔一定的距离就要设置一个凝水缸，便于排水，故燃气管道都有不小于 3‰的坡度。（√）

91．天然气送入长输管线不必进行净化处理。　　（×）

92．单位时间内，燃烧燃气所发出的热量称为燃气用具的热负荷。　　　　　　　　　　　　　　　　　　（√）

93．燃气和空气的混合方式，对燃气的燃烧强度，火焰长度和火焰温度没影响。　　　　　　　　　　　　（×）

94．理论空气需要量是燃气完全燃烧所需要的最大空气量。　　　　　　　　　　　　　　　　　　　　　　（×）

95．理论空气需要量 V_0 与实际供给的空气量 V 之比即：V_0/V 称为过剩空气系数。　　　　　　　　　　（×）

96．一次空气系数 α 值的大小取决于燃气燃烧方式及燃气设备的运行工况。　　　　　　　　　　　　　（√）

97．燃气未预先和空气混合而进行的燃烧称为扩散式燃烧。　　　　　　　　　　　　　　　　　　　　　（√）

98．燃烧前在燃气中预先混入部分空气而进行的燃烧称为无焰式燃烧。　　　　　　　　　　　　　　　　（×）

99．本生灯是大气式燃烧的典型代表。　　　　（√）

100．民用燃气用具一般由三部分组成：供气部分、燃烧器、其他部件。　　　　　　　　　　　　　　　　（√）

101．大气式低压喷嘴的作用是输送一定量的燃气，并将燃气的动能转变为势能，依靠引射作用吸入一定量的空气。　　　　　　　　　　　　　　　　　　　　　（×）

102．当燃气用具的热负荷一定时，燃气热值高的喷嘴孔径大，反之则小。　　　　　　　　　　　　　　（×）

103．燃气灶具扩压管的作用是使燃气空气混合气的部分动压变成静压，以提高气体的压力，并使燃气与空气进一步混合。　　　　　　　　　　　　　　　　　　　（√）

104．燃烧器头部的作用是将燃气空气混合物均匀地分布到各火孔上，并进行稳定和完全的燃烧。　　　　（√）

105．烟道排气式热水器运行方式是燃烧所需的空气取自室外，燃烧的烟气通过烟道排至室外。　　　　　（×）

106．平衡式热水器运行时，其燃烧所需的空气取自室内，燃烧的烟气通过烟道排至室外。　　　　　　　（×）

107．热水器对燃气的种类没有选择性，不同燃气种类的热水器是可以混用的。　　　　　　　　　　　　（×）

108．当热负荷为额定热负荷70％～120％时，燃气实用华白数波动±5％，热水器效率不低于85％。　　（√）

109．热水器应装有水气联锁装置，不必装有熄火保护装置和防风器。　　　　　　　　　　　　　　　　（×）

110．大部分引射型工业燃烧器采用中压供给燃气。

　　　　　　　　　　　　　　　　　　　　　　（√）

111．所谓二次吸风式工业燃烧器，是指一次空气靠炉膛负压吸入，二次空气靠燃气压力吸入。　　　　（×）

112．引射型二次鼓风式工业燃烧器的一次空气靠吸入、二次空气用鼓风机压入。　　　　　　　　　　　（√）

113．工业窑炉一般高中压供气，没有允许压力变化问题。　　　　　　　　　　　　　　　　　　　　　（√）

114．差压式流量表由节流装置、导压管和差压计三部分组成，广泛用在民用。　　　　　　　　　　　　（×）

115．双管表可以分为右侧式和左侧式两种。　（√）

116．家用燃气表一般由外壳、分配室总成、计量室三

部分构成。   （×）

117．薄膜是干式燃气表中最主要的部件，当薄膜变质或破裂时，就会产生计量误差。   （√）

118．燃气灶具的热效率是指燃气热能的利用程度。

                                              （√）

119．如果燃烧器的某部分设计不合理，不会降低燃气用具的热效率。   （×）

120．燃气压力过低，火孔口径减小，都会使灶具产生回火。   （×）

121．燃气压力过高，一次空气系数过大等会产生脱火。

                                              （√）

122．食堂宾馆用燃烧器大都采用强制鼓风式燃烧，一般不采用大气式燃烧方式。   （×）

123．食堂宾馆燃气灶具的废气排出所用的烟筒的截面积是通过计算得来的，不能任意确定它们的大小。   （√）

124．民用户室内燃气管道系统由引入管、水平干管、水平支管及用气设备组成。   （×）

125．管段长度包括该段的管子长度加上管件（阀门）长度，因而要算出该段管子的下料长度，同时加上螺纹拧入配件的长度。   （√）

126．地上引入管的上端应装三通，顶部装丝堵，穿墙管外应有套管，并坡向引入管   （√）

127．入户总阀门装在水平管上管径在 70mm 以下的采用法兰闸阀，管径在 80mm 以上采用旋塞阀或球阀。 （×）

128．采用单管燃气表时，应水平口进气，顶部出气。

                                              （√）

129．改接工程包括引入管接口的改接和室内干管的改

接，改接工程一般不按新装工程的标准。 （×）

130. 在检修工业用气设施前后，一定要做好燃气管道的放散，吹扫及置换工作。 （√）

131. 检修工作在试压验收合格之后，用空气或燃气吹扫管线，吹扫介质的用量为吹扫管段体积的二倍。 （×）

132. 置换工作完毕，关闭放散阀，就可以进行点火工作。 （√）

133. 钢管的特点是机械强度高，有良好的塑性和韧性，耐腐蚀。 （×）

134. 铸铁管管壁厚，重量大，机械强度低，韧性差。
（√）

135. 表示气体压强的单位有大气压（atm）帕斯卡（Pa）。 （√）

136. $PV = nRT$ 是适用于理想状态下的气体性质的方程。 （√）

137. 在 SZ（国际单位制）中单位制中，通用气体常数 R 的取值是 $0.082 \text{atm} \cdot \text{L}$（K·mol）。 （×）

138. 绝对温度 T 与摄氏温度 t 的换算关系式为 $T = t + 273.15 \text{K}$。 （√）

139. 理想气体的状态方程式为 $PV = nRT$。 （√）

140. 任何燃气用具都是按燃气成分、华白指数及压力范围设计的。 （√）

141. 室内管道安装完毕后，首先进行强度试验。 （×）

142. 无论什么地区，引入管的安装方式最好采用地上引入。 （×）

143. 液化石油气的主要成分是 C_3H_8、C_3H_6、C_4H_{10}、C_4H_8。 （√）

144．天然气的主要有效成分中大部分是 CH_4。（✓）

145．户内燃气表只有一种高位表安装方式。（✗）

146．新买来的手电钻使用前不必进行外观检查。（✗）

147．电焊机的二次线可以用金属材料代替。（✗）

148．触电是接触低压或接近高压带电体造成的伤害。

（✓）

149．36V 的电压是绝对安全电压。（✗）

150．液化石油气和天然气在发生泄漏时，均往低洼处聚集。（✗）

151．发生炉燃气和水燃气统称为气化燃气。（✓）

152．人工燃气的热值比天然气的热值低。（✓）

153．在绘制管道图时，必须用双线来表示管道。（✗）

154．管道施工图中，管道的相对标高一般以当地水平线为正负零。（✗）

155．天然气中除含有 CH_4 外，还含有少量水分。（✓）

156．对于液化石油气来说，它只能用钢瓶形式来供给用户使用。（✗）

157．直流电和交流电的大小和方向均随时间的变化而变化。（✓）

158．使用手持式电动工具，遇有停电或中止工作时，不必切断电源。（✗）

159．发现户内燃气管道漏气时，应首先向燃气管理部门报告。（✗）

（二）选择题（将正确答案的序号填入横线）

1．如图所示：从三视图投影角度来看＿＿A＿＿方向是主视图。

A．A—A　　　　B．B—B　　　　C．C—C　　　　D．没有

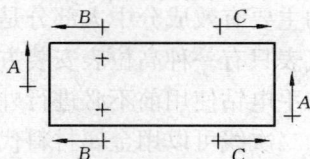

2.用两个相互平行的剖切平面，在管道间进行剖切，同样把两个剖切平面之前部分移去，再对剩余部分进行投影，所得到的剖面图为：__B__

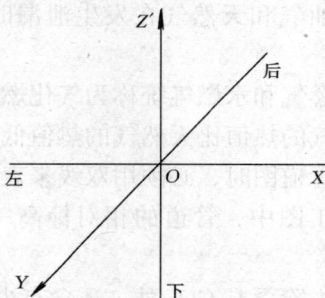

A. 断面剖面图　　　　　　　B. 转折剖面图

C. 管道剖面图

3.如图单根管道斜等轴测图：管道为左右水平走向，在 OX 轴上直接量取的长度为管道的__B__。

A. 实长的 1/2　　　　　　　B. 实长的 1/4

C. 实长　　　　　　　　　　D. 实长的 1/3

4.根据视图确定管线的空间走向，一般情况下往往定 X 轴为__B__。

A. 前后走向　　　　　　　　B. 左右走向

C. 垂直走向　　　　　　　　D. 水平走向

5.机件向基本投影面投影所得到的视图叫__A__。

A. 基本视图　　　　　　　　B. 局部视图

C. 斜视图　　　　　　　　　D. 三视图

6. 在液态相互溶解，当合金凝固成固态时，组元之间仍能互相溶解形成的均匀一致的，仍保持其中某一组元晶格类型的固体合金称为　C　。

　A. 金属化合物　　　　　　B. 机械混合物

　C. 固溶体　　　　　　　　D. 非金属化合物

7. 碳溶解在 α-Fe 中所形成的固溶体，称为　B　。

　A. 奥氏体　　　B. 铁素体　　　C. 渗碳体　　　D. 碳素

8. 铁素体和渗碳体的机械混合物称　C　。

　A. 奥氏体　　　B. 铁素体　　　C. 珠光体　　　D. 金刚石

9. 组成合金的组元，按照一定的原子数量比例，相互化合而组成完全不同于原组元晶格的固体物质称为　A　。

　A. 金属化合物　　　　　　B. 机械混物

　C. 固溶体　　　　　　　　D. 非金属化合物

10. 白口铸铁是含碳量在　B　之间的铁碳合金。

　A. <2%　　　B. 2%～7%　　　C. >7%　　　D. >10%

11. 在低于沸点温度下汽化过程属于　A　蒸发。

　A. 自然　　　B. 沸腾　　　C. 其他

12. 气体的导热系数很小，它随温度的升高而　A　。

　A. 增大　　　B. 减小　　　C. 不变　　　D. 无关

13. 液体的导热系数较小，它随着温度的升高而略有　B　。

　A. 增大　　　B. 降低　　　C. 不变　　　D. 无关

14. 金属的导热系数很高，它随温度的升高而　C　。

　A. 不变　　　B. 增大　　　C. 减小　　　D. 无关

15. 非金属材料如耐火砖它们的导热系数随温度的升高而　C　。

A. 减小　　　　B. 不变　　　　C. 增大　　　　D. 无关

16. 由于测量系统设计不合理，测量仪器使用不当，测量方法不够科学，测量人员对被测量对象了解不够等因素所造成的测量误差称为　A　。

A. 系统误差　　　　　　　　B. 随机误差

C. 粗大误差　　　　　　　　D. 绝对误差

17. 仪表精度等级是仪表的重要品质指标，某块仪表基本误差为 0.004，则该仪表精度等级为　B　级。

A. 0.04　　　　B. 0.4　　　　C. 4　　　　D. 0.004

18. 测量仪表在生产中最常见的四大类被测参数为：压力、温度、流量和　A　。

A. 液位　　　　B. 体积　　　　C. 重量　　　　D. 误差

19. 弹簧管在压力作用下变形，自由端产生位移为　B　压力表。

A. 波纹管压力表　　　　　　B. 弹簧管压力表

C. 膜片压力表　　　　　　　D. 弹簧压力表

20. 利用被测流体流过管道时的速度，使流量计的翼形叶轮或螺旋叶轮转动，其转速与流体的流量成正比，这种流量计叫　C　。

A. 容积式流量计　　　　　　B. 差压式流量计

C. 速度式流量计　　　　　　D. 重量式流量计

21. 流体通过突然缩小的管道断面时，使流体的动能发生变化而产生一定的压力降，压力降的变化和流速有关，此压力降可借助于差压计测出。这种流量计为　A　。

A. 差压式流量计　　　　　　B. 涡街式流量计

C. 速度式流量计　　　　　　D. 容积式流量计

22. 流体与其他物体接触产生相互作用力，这种力作用在流体的表面上称之为＿＿A＿＿。

　　A．表面力　　　B．质量力　　　C．其它　　　D．阻力

　　23．单位体积流体所受的重力称为＿＿B＿＿。

　　A．密度　　　　B．重度　　　　C．比重　　　D．流量

　　24．人工燃气质量指标中，对焦油和灰尘的要求应小于
＿＿A＿＿mg／Nm^3。

　　A．10　　　　　B．8　　　　　C．2　　　　　D．1

　　25．城市燃气的华白指数波动范围不宜超过＿＿D＿＿。

　　A．±20％　　　B．±15％　　　C．±12％　　　D．±7％

　　26．甲烷与充足的氧气点燃，其燃烧产物是＿＿B＿＿。

　　A．CO_2 和 H_2　　　　　　　　B．CO_2 和 H_2O

　　C．CO 和 H_2　　　　　　　　　D．CO 和 H_2O

　　27．所谓理论空气需要量，是指每标准立方米（或
Nm^3）燃气按（A）完全燃烧所需的空气量。

　　A．燃烧反应计量方程式　　　B．燃气的数量

　　C．燃烧条件　　　　　　　　D．产物的多少

　　28．如果天然气燃烧不完全，烟气中除含有 CO_2、SO_2、
N_2 和水蒸气外还含有少量＿＿C＿＿与可燃组分。

　　A．H_2O、N_2　　　　　　　　　B．CO、H_2

　　C．CO、CH_4、H_2　　　　　　　D．CH_4

　　29．燃烧的稳定性是以＿＿D＿＿的现象来衡量的。

　　A．无脱火　　　B．回火

　　C．离焰　　　　D．无脱火、回火、离焰

　　30．燃气中预先混入一部分空气 α＝0.2～0.8 这种燃烧
器叫＿＿B＿＿。

　　A．扩散式燃烧器　　　　　　　B．大气式燃烧器

　　C．无焰式燃烧器

31．二氧化碳是烟气中所含的有害气体，当空气中二氧化碳含量最小达到　C　%时，人便会死亡。

A.15　　　　　　B.12　　　　　　C.10　　　　　　D.5

32．燃气管道压力在 $0.4MPa < P \leqslant 0.8MPa$ 范围内属于　C　燃气管道。

A. 低压　　　　B. 中压　　　　C. 次高压　　　D. 高压

33．在中低压管道上每间隔一定的距离就要设置一个凝水缸，便于排水，故燃气管道都有不小于　B　的坡度，以利冷凝水靠自重流入最低点的凝水缸内。

A.5‰　　　　　B.3‰　　　　　C.2‰　　　　　D.1‰

34．燃气和空气的混合方式，对燃气的燃烧强度，火焰长度和火焰温度的影响　A　。

A. 有　　　　　B. 没有　　　　C. 关系不大　D. 其他

35．理论空气需要量是燃气完全燃烧所需要的　C　空气量。

A. 最大　　　　　B. 与燃气等量　　　　C. 最小

36．通常　B　才能保证燃气有充分燃烧的可能。

A.$\alpha < 1$　　　　B.$\alpha > 1$　　　　C.$\alpha = 1$

37．民用燃气用具中 α 值一般控制在　D　范围内。

A.2.4～2.3　　　　　　　　B.2.2～2.1

C.2.1～1.8　　　　　　　　D.1.8～1.3

38．当热负荷为额定热负荷 70%～120% 时，燃气实用华白数波动 ±5%，热水器热效率不低于　C　。

A.90%　　　　B.87%　　　　C.85%　　　　D.80%

39．JZT_1-A 型中餐单眼灶其额定热负荷为　A　kW。

A.65　　　　　B.70　　　　　C.75　　　　　D.80

40．在工业窑炉中大型锅炉的热效率应达到　B　以上。

A.65%　　　　B.70%　　　　C.75%　　　　D.80%

41．工业炉热负荷调节范围比民用灶具小，最小的热负荷可以是额定热负荷的　D　。

A.1／5　　　　B.1／4　　　　C.1／2　　　　D.1／3

42．我国民用燃气表大多采用　A　燃气表。

A．膜式　　　　　　　　　B．回转式

C．差压式　　　　　　　　D．涡子式

43．国产家用燃气表的计量室采用　A　。

A．独立内机式　　　　　　B．格板式

44．燃气表曲柄轴的材料一般选用　C　。

A．铸铁　　　　B．铸铝　　　　C．铜铝合金

45．罗茨表体积小，流量大，它可以在最高到　B　压力下工作。

A.1.4MPa　　B.1.57MPa　　C.1.65MPa

46．孔板为一种节流装置，在计量管管径在 400mm 以下，大多采用　B　。

A．盘式孔板　　　　　　　B．环室孔板

47．测量压力差的仪表叫　A　。

A．差压计　　　　　　　　B．压力计

48．燃气压力过低、火孔口径增大，喷嘴被杂物堵塞等，都会使灶具产生　C　。

A．脱火　　　　B．离焰　　　　C．回火

49．燃气压力过高，一次空气系数过大，火孔直径过小等，都会使灶具产生　B　。

A．回火　　　　B．脱火　　　　C．黄焰

50．根据工艺要求，选择合适的燃烧器，使其燃烧方法既能适应工艺的需要，又能节约燃气，一般锻工炉采用

___C___燃烧器。

A. 为混合式长火焰　　　　　B. 红外线

C. 扩散式　　　　　　　　　D. 火道式无焰

51. 入户总阀门应安装在水平管或立管上，一般管径在____C____mm 以下时选用球阀。

A.80　　　　　　B.75　　　　　　C.70

52. 室内燃气管道与上下水管及暖气管的平行间距不小于____A____cm。

A.10　　　　　　B.15　　　　　　C.20

53. 室内燃气管道下上下水管的交叉间距不小于____B____cm。

A.0.5　　　　　　B.1　　　　　　C.2

54. 室内燃气管道与明装电线的水平间距不小于____C____cm。

A.5　　　　　　B.8　　　　　　C.10

55. 室内燃气管道水平干管（或水平管道）与楼板的净距不小于____D____cm。

A.5　　　　　B.8　　　　　C.10　　　　　D.15

56. 穿过楼板的套管上部应高出地面____D____cm。

A.5　　　　　B.4　　　　　C.3　　　　　D.10

57. 需要安装放散管的室内燃气管线，管线终端的放散管应高出屋顶____B____m。

A.0.5　　　　　　B.1　　　　　　C.2

58. 燃气表应装在查表和检修方便的地方，且室温不低于____C____℃，干燥通风良好。

A.0　　　　　B.3　　　　　C.5　　　　　D.10

59. 公共建筑燃气管管径一般较大，管径在____A____mm

以上者应采用焊接或法兰连接。

  A.50   B.65   C.70   D.80

  60．有排气口的燃气用具，其水平排烟管段应有不小于__B__的坡度，坡向用具。

  A.0.5%   B.1%   C.1.5%   D.2%

  61．砖砌烟道应严密结实，内部平滑，烟道底部设有深度不小于__C__m 的存灰槽，并设有清扫门。

  A.0.2   B.0.3   C.0.5   D.0.6

  62．户内燃气管道工程的强度试压，其强度试验压力为__A__ kgf/cm^2。

  A.1   B.1.5   C.2   D.2.5

  63．户内燃气管道的严密性试验，在不装燃气表时压力为__B__ mmH_2O。

  A.500   B.700   C.800   D.1000

  64．当管道系统装有燃气表进行严密性试验，其压力为__C__ mmH_2O。

  A.200   B.250   C.300   D.350

  65．接上表、灶后进行严密性试验，试验压力为 3kPa，观察 5min，压力降不超过__A__Pa 为合格。

  A.200   B.250   C.300   D.350

  66．生铁是含碳量__B__以上的一种铁碳合金还有硅、磷、硫、锰等元素。

  A.1%   B.2%   C.3%   D.4%

  67．钢号 22，表示平均含碳量为__C__的钢。

  A.20%   B.0.02%   C.0.20%   D.2%

  68．用户室内燃气管道低压进户的最高压力不应大于__A__MPa。

A.0.005　　　B.0.05　　　C.0.5　　　D.5

69.暗设燃气管道应涂以__B__颜色的防腐识别漆。

A.红色　　　B.黄色　　　C.绿色　　　D.白色

70.地下室敷设天然气管道时，净高应不小于__C__m。

A.2　　　B.2.1　　　C.2.2　　　D.2.3

71.燃气灶在厨房内与对面墙之间应有不小于__C__m的通道。

A.0.5　　　B.0.8　　　C.1　　　D.1.2

72.燃气热水器应安装在通风良好的房间内，与对面墙之间应有不小于__B__m的通道。

A.0.8　　　B.1　　　C.1.5　　　D.1.8

73.热负荷30kW以下的居民用气设备，排烟烟道的抽力不应小于__A__Pa。

A.3　　　B.4　　　C.5　　　D.6

74.居民用气设备的水平烟道长度不宜超过__C__m。

A.2　　　B.2.5　　　C.3　　　D.3.5

75.烟道排气式热水器的安全排气罩上部，应有不小于__A__m的垂直上升烟气导管，其直径不得小于热水器排烟口的直径。

A.0.25　　　B.0.5　　　C.1　　　D.1.5

76.热负荷为30kW以上的公共建筑用气设备，烟道抽力不应小于__B__Pa。

A.5　　　B.10　　　C.15　　　D.20

77.液化石油气从气态转变为液态时，其体积将__C__倍。

A.增大250　　　　　　B.增大600

C.缩小250　　　　　　D.缩小600

78．人工燃气的爆炸极限（空气中体积百分数）大约是 __D__ %。

A．1～5　　　B．2～10　　　C．5～15　　　D．5～40

79．我国规定，在特潮湿地点或金属容器内安全电压不得超过 __C__ V。

A．36　　　　B．24　　　　C．12　　　　D．6

80．液态天然气的体积是气态时的 __A__ 倍。

A．1/600　　B．1/250　　　C．250　　　　D．600

81．气态液化石油气的相对密度大约为 __D__ 。

A．0.4　　　B．0.6　　　　C．1.0　　　　D．1.5

82．我国规定，手灯、机床、工作台局部照明灯具安全电压不得超过 __B__ V。

A．42　　　　B．36　　　　C．24　　　　D．12

83．一正弦交流电流有效值为 20mA，则其最大值为 __B__ mA。

A．$20\sqrt{3}$　　B．$20\sqrt{2}$　　C．$10\sqrt{3}$　　D．$10\sqrt{2}$

84．国标 GB50251—94 中规定带气动火作业，管道的压力应控制在 __A__ Pa。

A．500～800　　　　　　B．400～600

C．300～500　　　　　　D．100～200

85．燃气管道连接后的试压，其中中压 A 的管道其强度试验的试验压力（P_S）一般为工作压力（P_g）的 __B__ 倍。

A．2　　　　　B．1.5　　　C．1　　　　D．0.5

86．地下燃气管道与排水管的最小水平净距为 __B__ m。

A．0.5　　　　B．1　　　　C．1.2　　　D．1.5

87．中压燃气管道一律不采用 __C__ 管。

A．钢管　　　B．机械接口铸铁管

C. 承插口连接铸铁管

88. 发生燃气着火爆炸时__C__不可使用。

A. 干粉灭火器　　　　　　B.CO_2 灭火器

C. 泡沫灭火器

89. 用燃气置换空气阶段，其置换速度应__A__。

A. 缓慢进行　　　　　　　B. 快速进行

C. 快慢无所谓　　　　　　D. 快慢交替

90. 带气敲打金属管道时应使用__A__。

A. 铜制工具　　　　　　　B. 铁制工具

C. 任何工具均可　　　　　D. 铝制工具

91. 我国城市燃气管道压力分级标准中，中压 A 的压力范围应为__D__MPa。

A.0.005 以下　　　　　　B.0.005～0.2

C.0.2　　　　　　　　　　D.0.2～0.4

92. 甲烷与充足的氧气点燃，其燃烧产物是__B__。

A.CO_2 和 H_2　　　　　　　B.CO_2 和 H_2O

C.CO 和 H_2　　　　　　　　D.CO 和 H_2O

93. 在热与功的能量转换过程中，10 卡的热量相当于__A__焦耳的功。

A.41.84　　　　　　　　　B.0.82

C.83.14　　　　　　　　　D.$4.184×10^4$

94. 在 $PV = nRT$ 中，当 P、V 取国际单位制中的单位时 R 的取值是__B__。

A.0.082atm·L／（K·mol）　B.8.314J／（mol·K）

C.$1.013×10^5$Pa　　　　　　D.4.184J

95.1atm＝__A__mmH$_2$O

A.$1.0332×10^4$　　　　　　B.$1×10^4$

C.760   D.1.359×10

96.1Pa =＿＿B＿＿ mmHg

A.760   B.0.75×10^{-2}

C.0.75×10^3 D.0.735×10^{-1}

97.1cal =＿＿C＿＿ J

A.360   B.418.68   C.4.1868   D.3600

98.10℃换算成绝对温度时是＿＿C＿＿K。

A.263   B.273   C.283   D.298

99．在施工中如地基超控时，干槽超控＿＿B＿＿cm 以内时，可用填土回填整实，但其密实度不应低于原地基天然土的密实度。

A.10   B.15   C.20   D.25

100．地下燃气管道与排水管的最小水平净距为＿＿C＿＿m。

A.0.5   B.1.2   C.1.0   D.1.5

101．中压燃气管道不应采用＿＿C＿＿管。

A. 钢管   B. 铸铁管

C. 塑料管   D. 焊接钢管

102．地下燃气管道穿过其他构筑物时，在基础以外＿＿B＿＿m 的范围内不准有焊接接头。

A.0.5   B.1   C.1.5   D.2

103．敷设在非冰冻地区的地下燃气铸铁管，埋设深度不小于＿＿B＿＿m。

A.0.5   B.0.8   C.1.5   D.2

104．不降压法带气接线，主要用于＿＿B＿＿的带气接线。

A. 中低压燃气管道   B. 中高压燃气管道

C. 低压燃气管道

105．挪动手持式电动工具时，可以手提　A　。

A．握柄　　　　B．导线　　　　C．卡头　　　　D．任意

106．地下燃气管道埋设在车行道下时，路面至管顶加最小覆土厚度应小于　C　m。

A.1.2　　　　B.1.0　　　　C.0.8　　　　D.0.6

107．甲烷的分子中，含有　A　原子。

A.1个C，4个H　　　　　　B.1个C，2个H
C.4个C，4个H　　　　　　D.4个C，1个H

108．天然气中的硫化氢允许含量为　B　mg/Nm³。

A．大于20　　　　　　　　B．小于20
C．大于10　　　　　　　　D．小于10

109．天然气加臭剂的量，应保证其泄漏到空气中达到爆炸下限的　C　%应能察觉。

A.10　　　　B.15　　　　C.20　　　　D.25

110.1Nm³的甲烷，完全燃烧所需的氧气量为　D　Nm³。

A.0.5　　　　B.1.0　　　　C.1.5　　　　D.2.0

111．热水器的熄火噪声应低于　D　dB。

A.50　　　　B.60　　　　C.70　　　　D.80

112．一般地说，燃气的热值越大，其完全燃烧所需的空气量　A　。

A．越大　　　　B．越小　　　　C．与热值大小没关系

113．燃烧器按燃气压力可分为低压燃烧器和高（中）压燃烧器，当燃气压力大于　C　MPa时，才称为高（中）压燃烧器。

A.0.1　　　　B.0.2　　　　C.0.3　　　　D.0.4

114．热水器上除应设有熄火保护装置外，还应设有缺

氧保护装置，该装置当室内空气中的氧含量在__C__%时，即可自动切断燃气供应。

A.10～15   B.15～17

C.17～19   D.19～21

115．在绘制图样时，国家标准《机械制图》中规定，粗实线宽度为__A__mm。

A.0.5～2   B.0.5～1.5   C.0.5～1.0   D.0.5

116．燃气开水炉应装在净高不小于__C__m的房间内。

A.2.5   B.2.8   C.3.0   D.3.5

117．若燃气用具如设有水平烟道，其长度一般不超过__D__m。

A.1.5   B.2.0   C.2.5   D.3.0

118．燃气表与砖砌烟囱之间应不小于__B__mm。

A.50   B.100   C.150   D.200

119．如果同一房间内需安装两台双眼灶时，两台双眼灶间距不小于__B__mm。

A.500   B.400   C.300   D.200

120．燃气表与低压电器在同一室时，燃气表与低压电器之间的距离应不小于__C__m。

A.0.5   B.0.8   C.1   D.1.2

（三）计算题

1．利用盖斯定律计算 C（石墨）＋1/2O_2（g）——CO（g）的 $\Delta H_{298}^0$③＝？

已知：①C（石墨）＋O_2（g）——CO_2（g）

$\Delta H_{298}^0$①＝－393.5kJ

②CO（g）＋1/2O_2（g）——CO_2（g）

$\Delta H_{298}^0$②＝－282.96kJ

【解】
$$\Delta H①$$

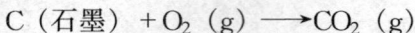

C（石墨）＋O_2（g）$\longrightarrow CO_2$（g）

298.15K   298.15K

$\Delta H②\downarrow$ $\uparrow \Delta H③$

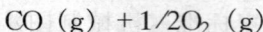

CO（g）＋$1/2O_2$（g）

298.15K

据盖斯定律得：$\Delta H① = \Delta H② + \Delta H③$

$\therefore \Delta H② = \Delta H① - \Delta H③$

$= -393.5 - (-282.96) = -110.54kJ$

$\therefore$ C（石墨）＋$1/2O_2$（g）$\longrightarrow$CO（g）

$\Delta H^0_{298}③ = -110.54kJ$

答：Δ ③$= -110.54kJ$

2. 求 $4NH_3$（g）＋$5O_2$（g）$\longrightarrow 4NO$（g）＋$6H_2O$（g）

的 $\Delta H^0_{298} = ?$

已知：$\Delta H^0_f NH_3 = -46.19kJ/mol$

$\Delta H^0_f O_2 = 0$

$\Delta H^0_f NO = 89.86kJ/mol$

$\Delta H^0_f H_2O = -241.83kJ/mol$

【解】 $\Delta H^0_{298} = \Sigma Hf$ 生成物 $-\Sigma Hf$ 反应物

$= 4\Delta H^0_f NO + 6\Delta H^0_f H_2O - 4\Delta H^0_f NH_3$

$- 5\Delta H^0_f O_2$

$= 4\times 89.86 + 6\times(-241.83) - 4$

$\times(-46.19) - 5\times 0$

$= -906.8kJ$

答：$4NH_3$（g）＋$5O_2$（g）$\longrightarrow 4NO$（g）＋$6H_2O$（g）

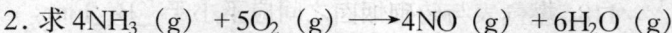

的 $\Delta H^0_{298} = -906.8kJ$

3．已知某混合气体的体积百分数为 C_2H_3Cl 88％，HCl10％，C_2H_4 2％，于恒定 101.3kPa 压力下经水洗除去 HCl 气体，求剩余干气体中各组分的分压。

已知：C_2H_3Cl 88％，HCl10％，C_2H_4 2％，$P = 101.3kPa$

求：$P_{C_2H_3Cl} = ?$　　　$P_{C_2H_4} = ?$

【解】　设混合气体的量为 100m³，则 $V_{C_2H_3Cl} = 88m^3$，$V_{HCl} = 10m^3$，$V_{C_2H_4} = 2m^3$，水洗后除 HCl，则 $V_{总} = V_{C_2H_3Cl} + V_{C_2H_4} = 88 + 2 = 90m^3$

$$Y_{C_2H_3Cl} = n_{C_2H_3Cl}/n = V_{C_2H_3Cl}/V = 88/90 = 0.978$$

$$Y_{C_2H_4} = 1 - 0.978 = 0.022$$

$$P_{2'} = Y_{2'}P$$

$$\therefore P_{C_2H_3Cl} = Y_{C_2H_3Cl} \cdot P = 0.978 \times 101.3 = 99.07kPa$$

$$P_{C_2H_4} = Y_{C_2H_4} \cdot P = 0.022 \times 101.3 = 2.23kPa$$

答：剩余干气体中 C_2H_3Cl 的分压为 99.07kPa，C_2H_4 的分压为 2.23kPa。

4．有一台燃气鼓风机，每小时送风量为 1680m³，入口压力为 200mmH₂O（表压），温度为 30℃，若要在不增加设备的情况下，提高产量 3％，采取的措施是降低水燃气的温度，问在其他条件不变的情况下，温度降到多少度？

【解】　当鼓风机一定时，每小时入口状态下的送风量的体积是一定的，入口温度压力改变时，只能改变气体的摩尔数，因为压力不高，所以可以用理想气体状态方程式计算。

$$P_1V_1 = n_1RT_1 \qquad P_2V_2 = n_2RT_2$$

$$\therefore P_1 = P_2 \qquad V_1 = V_2（已知）$$

$$\therefore n_1 T_1 = n_2 T_2$$

要求提高送风量 3%，即 $n_2 = 1.03 n_1$

$$\therefore T_2 = n_1 T_1 / n_2 = n_1 T_1 / 1.03 n_1 = T_1 / 1.03$$

又 $\because T_1 = 30 + 273 = 303K$

$\therefore T_2 = 303 / 1.03 = 294K$，即降温到 21℃

答：温度降到 21℃。

5. 1mol 氮气和 3mol 氢气混合后体积为 20L，问在 25℃ 下混合气体具有多大压力？

已知：$n N_2 = 1mol$，$n H_2 = 3mol$，$V = 20L$，$T = 25 + 273 = 298K$

求：$P = ?$

【解】 $PV = nRT = (n N_2 + n H_2) RT$

$P = [(n N_2 + n H_2) RT] / V = (1 + 3) \times 0.082 \times 298 / 20 = 4.9atm$

答：混合气体具有 4.9 大气压。

6. 已知一正常齿标准直齿圆柱齿轮，齿数 $Z = 30$，齿根圆直径 $d_f = 192.5mm$。求模数 m，齿距 P，齿顶圆直径 d_a，分度圆直径 d 和全齿高 h。

【解】 由公式 $d_f = m (Z - 2.5)$ 可知

$m = d_f / (Z - 2.5) = 192.5 / (30 - 2.5) = 7mm$

$\therefore P = \pi m = 3.14 \times 7 = 21.98mm$

$d_a = m (Z + 2) = 7 \times (30 + 2) = 224mm$

$d = mZ = 7 \times 30 = 210mm$

$h = 2.25m = 2.25 \times 7 = 15.75mm$

答：以上即为所求。

7. 求 50Hz 正弦电流的角频率。

【解】 根据公式 $W = 2\pi f$

得：$W = 2 \times 3.14 \times 50 = 314\text{rad/s}$。

答：50Hz 正弦电流的角频率 314rad/s。

8．如图为一水银压力计，若容器中液体为水，测压管中深色液体为水银，$h_1 = 60\text{cm}$，$h_2 = 30\text{cm}$，开口通大气，求 $P_c{}'$ 和 P_c 各为多少？已知大气压强 $P_a = 101\text{kPa}$

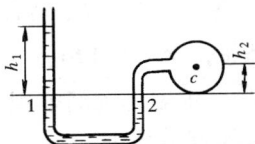

【解】　由公式 $P_c{}' = P_2{}' - V_水 h_2$

$$P' = P_a + V_汞 h_1$$

点 1 和点 2 处于等压面上，有 $P'_1 = P'_2$

$\therefore P_c{}' = P_a + V_汞 h_1 - V_水 h_2$

$\qquad = 101 + 133.4 \times 0.6 - 9.81 \times 0.3 = 178.1\text{kPa}$

相对压强 $P_c = P_c{}' - P_a = 178.1 - 101 = 77.1\text{kPa} = 7.85\text{mH}_2\text{O}$

答：$P_c{}'$ 为 178.1kPa、P_c 为 7.85mH$_2$O。

9．已知混合气体的容积成分 $Y_{CH_4} = 80.1\%$，$Y_{C_2H_6} = 7.4\%$，$Y_{C_3H_8} = 3.8\%$，$Y_{C_4H_{10}} = 2.3\%$，$Y_{C_5H_{12}} = 2.4\%$，$Y_{N_2} = 0.6\%$，$Y_{CO_2} = 3.4\%$。求混合气体平均分子量。

【解】　各组分子量分别为：$M_{CH_4} = 16.043$，$M_{C_2H_6} = 80.07$，$M_{C_3H_8} = 44.097$，$M_{C_4H_{10}} = 58.1240$，$M_{C_5H_{12}} = 72.1510$，$M_{N_2} = 28.0134$，$M_{CO_2} = 44.0098$

混合气体平均分子量

$M = 1/100 \Sigma Y_i M_i$

$\qquad = 1/100 \times (80.1 \times 16.043 + 7.4 \times 30.07 + 3.8$

$$\times 44.097 + 2.3 \times 58.1240 + 2.4 \times 72.151 + 0.6$$
$$\times 28.0134 + 3.4 \times 44.0098)$$
$$= 21.484$$

答：混合气体平均分子量为 21.484。

10. 已知干燃气容积成分为 $Y_{CO_2} = 1.9\%$，$Y_{C_mH_n} = 3.9\%$（按 C_3H_8 计算），$Y_{O_2} = 0.4\%$，$Y_{CO} = 6.3\%$，$Y_{H_2} = 54.4\%$，$Y_{CH_4} = 31.5\%$，$Y_{N_2} = 1.6\%$（假定含湿量 $d = 0.002kg/Nm^3$ 干燃气），求湿燃气的容积成分。

【解】 首先确定换算系数 K

$K = 0.833/(0.833 + d)$

$= 0.833/(0.833 + 0.002) = 0.9976$

求湿燃气容积成分：

$$Y_{CO_2}^W = kY_{CO_2} = 0.9976 \times 1.9 = 1.895\%$$

依次可得：$Y_{C_mH_n}^W = 3.891\%$，$Y_{O_2}^W = 0.399\%$，$Y_{CO}^W = 6.285\%$，$Y_{H_2}^W = 54.270\%$，$Y_{CH_4}^W = 31.424\%$，$Y_{N_2}^W = 1.596\%$，$Y_{H_2O}^W = 1 - k = 0.24\%$。

答：以上即为所求。

（四）简答题

1. 简述燃气灶的安全使用要求？

答：（1）使用中应有人照看，观察燃烧情况，调节火焰，防止汤水溢出或风将火焰熄灭而造成燃气外漏。

（2）铸铁双眼灶是常用的灶型 0 在旋塞处容易发生漏气，旋塞芯是锥面接触。用油脂来密封燃气，使用时间长了以后密封油脂干燥，摩擦力增加，锥体密封面磨损易产生缝隙而导致燃气泄漏，若发现旋塞不灵活或漏气必须及时修理。

（3）居民用户一切燃气设施不允许私自拆装或迁移，当设备需迁移应向燃气公司管理部门提出申请，以确保安全。

2．简述大气或燃烧器的优点是什么？

答：（1）由于大气式燃烧器预先混入了一部分空气，它比自然引风扩散式燃烧器火焰短，火力强，燃烧温度高。

（2）可以燃烧不同性质的燃气，燃烧比较完全，燃烧效率比较高，烟气中 CO 含量较少。

（3）可应用低压燃气，由于空气依靠燃气引入，所以不需要送风设备。

（4）适应性强。

3．解释什么是燃烧速度并说明燃烧如何进行的？

答：（1）燃气空气的混合气中，火焰面向未燃气体方向传播或燃烧的速度叫燃烧速度。

（2）燃烧首先从极薄的表面上开始，燃气分子同氧进行反应，产生的热同时使附近的混合气层点燃形成新的火焰面，并逐层传播。

4．燃气用具的功能包括几方面？

（1）具有一定的热负荷；

（2）具有一定的调节范围；

（3）保证燃烧的完全性；

（4）具有一定的燃烧温度，满足工艺的要求；

（5）结构简单，便于检修，安全可靠。

5．简述扩散式燃烧的特点。

（1）燃烧比较稳定，不会回火、脱火，极限值较高；

（2）温度分布均匀；

（3）燃烧速度慢，火焰温度低；

（4）燃烧强度低。

6．简述大气式燃烧的特点。

（1）燃气用具热负荷的调节范围大；

（2）与扩散式燃烧相比有较快的燃烧速度和温度燃烧比较完全；

（3）燃烧稳定性较差；

（4）燃气用具结构较复杂；

7．简述引射器的作用是什么？

（1）利用燃气的高能量引射进低能量的空气，并使两者在引射器里均匀混合；

（2）保证燃气用具稳定工作；

（3）输送一定的燃气量，使燃气用具发出一定的热量。

8．简述引射型二次鼓风式工业燃烧器特点？

（1）火焰可以调节，以适应工艺要求；

（2）体积小，可以用于大负荷燃烧器；

（3）由于二次空气靠鼓风机压力，故加空气预热器比较容易，并且对炉膛内压力变化不敏感；

（4）不易脱火与回火，调节范围较大；

（5）投资大，运行费用高；

（6）热效率、温度、热强度较低。

9．简述引射型火道无焰燃烧器的特点？

（1）热强度和热效率较大，可等到较高的炉温；

（2）由于过剩空气小，可以直接加热金属工件；

（3）容易调节热负荷；

（4）投资小，运行费用低；

（5）易回火，调节范围小；

（6）混合管尺寸较大，不适用于大负荷燃烧器；

（7）需要预热空气，燃气压力要求高；

（8）对炉膛压力变化比较敏感，噪声也大。

10．简述罗茨表的工作原理。

答：罗茨表的两个转子 8 字轮互相啮合，当燃气进入后，在前后压差的作用下，两个转子就相互逆向旋转，将转子与表壳之间所形成的空间的燃气从进口送向出口；只要测得转子瞬时流量，用计数机构将转速累计起来，就可以测得累计流量。

11．简述各种燃气用具的设计制造都必须满足什么基本条件？

（1）在达到设计目的、满足使用条件的前提下，应具有较高的热效率；

（2）燃气用具必须达到严格的气密性要求，有效地防止燃气的泄漏，同时具有一定的安全装置，防止事故的发生；

（3）必须严格控制燃气燃烧对环境的污染。

12．简述燃烧器头部在结构上必须满足什么样的要求？

（1）燃烧器头部的空腔必须保证其内部的可燃气体分配均匀，不会产生火焰的不均匀现象；

（2）确保燃烧稳定，不产生回火、离焰脱火和黄焰现象；

（3）火焰应能从一处火孔迅速传遍所有火孔。

13．简述引射器的结构必须满足什么样的要求？

（1）具有一定压力的燃气由喷嘴喷射出以后，能带动空气进入吸气收缩管，并使两者均匀混合；

（2）在引射器末端形成的剩余压力能克服头部的阻力损失，使燃气空气混合物在火孔出口处获得必要的速度，保持燃气用具能稳定工作；

（3）输送一定量的燃气量以保证燃烧器所需的热负荷。

14．简单分析民用燃气灶具回火的原因？及造成什么影响？

（1）燃气压力过低，火孔口径增大，喷嘴被杂物堵塞，燃气成分发生变化，喷嘴孔么过大，安装位置在迎风区等，都会使灶具产生回火；

（2）灶具回火时，不仅产生爆声和噪声，而且破坏了一次空气的吸入，使燃烧不正常，形成化学不完全燃烧，降低了灶具热效率。

15．简单分析民用燃气灶具脱火，离焰的原因及影响？

（1）燃气压力过高、一次空气系数过大，火孔直径过小，喷嘴直径过大，烟筒抽力过大，锅与燃烧间距太小等原因产生脱火及离焰。

（2）降低热效率。

（3）易于发生中毒、爆炸着火事故。

16．简述食堂宾馆等单位用的燃气灶具有什么特点？

（1）热负荷大；

（2）锅底热强度大，传统的中式炒菜烹饪用锅比较小，但需要配有较大的热负荷，锅底热强度大，以达到快速烹饪的目的；

（3）使用过程中产生油污多，因此要求灶体各部分易于清扫和维修。

17．民用户用气设施施工前，应了解哪些必要的情况？

（1）立管、水平干管及水平支管的管径；

（2）引入管的管径及引入方式；

（3）总阀门、表前阀及灶前阀的型号、规格；

（4）表的型号规格；

（5）燃气用具的型号规格。

18．根据图纸预制各类管件时，应注意哪些问题？

（1）割断钢管时，必须把断口上的飞边去掉，以免影响原有的口径；

（2）对管段长度进行测量，并计算出管子加工时下料的长度；

（3）尽量不将管子弯曲使用；

（4）丝扣一定要符合质量标准。

19．更换燃气管道时，应注意哪些问题？

答：更换管道时，应关闭调压站燃气出口阀及室内引入管上的总阀门，放散管内燃气，并用空气吹扫干净后方可施工。更换时的施工方法应按新装工程的标准进行，按规定进行试压、吹扫、置换、点火。

20．说出应用在燃气输送的塑料管的材料是什么？并说出其特点？

（1）适用于燃气输送的塑料管主要是聚乙烯管；

（2）它性能稳定，脆化温度低，具有质轻、耐腐蚀及良好的抗冲击性能，材质延伸率大，可弯曲使用，且内壁光滑，运输方便，劳动强度低，施工费用低等特点。

21．如何处理户内管道中的铁屑？

答：（1）将燃气表拆开，把用气管末端管堵或灶具拆下；

（2）采用打气筒或气瓶增压时，压力应逐步增大使铁屑慢慢地从管口喷出；

（3）如用气泵或气瓶不能清除铁屑时，应将管道分段拆下清除；

（4）排完后，应做气密性试验。

22．我国对安全电压是如何规定的？

答：为了防止触电事故而采用由特定电源供电的电压系列，这个电压系列上限在任何情况下两导体之间或任一导体与大地之间均不得超过交流有效值50V，安全电压的额定值为42V、36V、24V、12V、6V。

23. 说出城市燃气管网的压力等级，并说明按压力分有何意义？

答：压力等级（1）低压 　　　　$P \leqslant 0.005\text{MPa}$

（2）中压 B　$0.005\text{MPa} \leqslant P \leqslant 0.2\text{MPa}$

中压 A　$0.2\text{MPa} \leqslant P \leqslant 0.4\text{MPa}$

（3）次高压　$0.4\text{MPa} \leqslant P < 0.8\text{MPa}$

高压　　$0.8\text{MPa} \leqslant P \leqslant 1.6\text{MPa}$

意义：因为燃气是易燃、易爆、有毒的气体，当管道内的燃气压力不同时对管道的材质、安装质量、检验标准和运行管理的要求也不相同。

24. 试述天然气输配流程，并用简图表示之。

答：天然气沿集气管线到天然气处理厂进行净化处理，除去天然气中的 H_2S、CO_2 凝析油及水，净化后的天然气经过计量加压之后送入长输管线，在进入门站（分配站）降压后，进入城市燃气管网，经过调压站再次降压，沿低压庭院管网及引入管进入各用户。

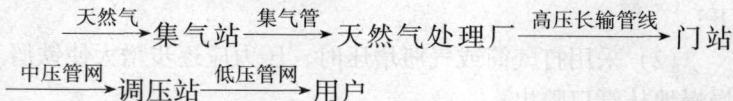

天然气 —→ 集气站 —集气管→ 天然气处理厂 —高压长输管线→ 门站

—中压管网→ 调压站 —低压管网→ 用户

25. 什么叫大气式燃烧？这种燃烧方式有何特点？适用范围如何？

答：燃烧前在燃气中预先混入部分空气而进行的燃烧称为大气式燃烧。

116

特点：（1）燃气用具热负荷的调节范围大；

（2）与扩散式燃烧相比有较快的燃烧速度和温度，燃烧比较完全；

（3）燃烧稳定性较差；

（4）燃气用具结构较复杂。

民用燃气用具大都采用引射式大气燃烧方式。

26. 燃气管网发生泄漏的主要原因。

答：（1）外力破坏；（2）腐蚀穿孔；（3）自然环境的变化；（4）施工质量；（5）设施材料的自然老化。

27. 塑料管与钢管相比有哪些优点？

答：（1）抗腐蚀性能好；（2）重量轻；（3）接口少，尤其盘管更少；（4）管壁光滑，水力特性好；（5）抗震性好。

28. 户内燃气管道如何进行置换点火？

答：（1）关闭户内所有阀门；

（2）卸下立管最上端的丝堵，装上单头旋塞，并用胶管引到室外；

（3）逐渐打开总阀门，在室外放散点取样，点火合格为置换完毕；

（4）卸下单头旋塞，装上丝堵；

（5）打开表前阀和灶前阀；

（6）点火，并调节火焰。

29. 发生触电事故的主要原因有哪些？

答：（1）不遵守安全操作规程，直接接触或与电气设备的带电部分过分靠近；

（2）电气设备安装不合规程要求，带电部分对地距离不合格；

（3）电气设备卸乏正常检修；

（4）保护接零（接地）安装不合格或根本没安装，没按规定使用漏电保护器；

（5）无证操作，乱拉临时线。

30．城市燃气输配系统由几部分构成？

答：（1）低压、中压以及高压等不同压力的燃气管网；

（2）城市燃气分配站或压送站，调压计量或区域调压站；

（3）储气站；

（4）电讯与自动化设备、电子计算机中心。

31．试述弯曲管道时的质量要求？

答：（1）弯曲部应圆润；（2）弯曲角度不超过 45°；（3）不得凹瘪；（4）弯曲部分在跨越物的中心；（5）弯曲部分与直管应在同一直线上。

32．简述地上燃气管及设备需要重点查漏的地方？

答：（1）各类旋塞阀；（2）燃气表；（3）活接头；（4）丝接口；（5）灶具、供气管、开关、胶管；（6）集水管；（7）穿墙、穿楼板管；（8）管道弯曲势部位；（9）焊接管的焊缝处。

33．管道阻塞的原因及消除方法？

答：管道阻塞有：积屑阻塞、积水阻塞、积萘阻塞和积冰阻塞。

（1）积屑阻塞原因：

1）管道锈蚀、铁屑剥落、灰尘焦油聚积；

2）施工不慎，泥浆垃圾残留管内；

3）操作马虎，麻丝内陷，漏铅；

4）接口选择不当，密封胶圈腐蚀，造成胶圈溶胀，断裂从承口落入管内。

（2）积水阻塞原因：

1）不及时抽除排水井中凝结水；

2）由于管道失坡，冷凝水聚积到"水袋"处；

3）管道腐蚀穿孔，裂缝等渗漏水。

（3）积萘阻塞的原因：

因人工气中含有一定量的萘蒸气，当温度降低就凝成固体，附在管道内壁造成阻塞。

（4）积冰阻塞的原因：

由于冬天暴冷，因积水而引起结冰，造成结冰阻塞。

34．燃气管网连接燃气用户，其输送压力的控制值各为多少？

答：人工气 P 小于 2000Pa；天然气 P 小于 3500Pa；气态液化石油气 P 小于 5000Pa。

35．试述地上燃气管道的气密性检验要求？

答：（1）公房里弄低压管，用 3000Pa 进行验泵，10min 内压力无下降；

（2）零星用户的用气管，用燃气工作压力验泵，10min 内压力无下降；

（3）工营事团工程，在连接用气设备的情况下，用 3000Pa 验泵，10min 内压力下降小于 100Pa；

（4）用户使用压力高于 2000Pa 的燃气管，以一倍于使用压力验泵，10min 内压力下降小于 100Pa。

36．试述地下管需要重点查漏的地方？

答：（1）新排管道；（2）进户立管；（3）距居民住宅点较近的管线；（4）管件接口集中部位；（5）建筑施工或竣工之后附近的管道。

37．燃气储存方式有几种？简述储气的作用？

答：储气的作用，主要是解决燃气生产的均匀性与燃气用户使用燃气的不均匀性的矛盾。

储存方式：（1）按储气压力分：低压和高压；

（2）按储气形态分：气态和液态；

（3）按使用储气容器性质和特点分：地下岩穴、管道末端、低上金属罐储气等。

38. 简述目前本市低压管道压力降是按什么标准进行分配的？它们是如何分配的？

答：是按调压器出口压力为 1500Pa，燃气的最低燃烧压力为 800Pa 的标准进行分配的。低压干管压力降为 300Pa，低压支管允许压力降为 200Pa，用气管允许压力降为 80Pa。

39. 地上管的质量检验内容？

答：（1）坡度；（2）稳固性；（3）合理性；（4）美观性。

40. 什么叫燃气用具的热负荷（并写出单位）？

答：燃气用具在单位时间内，解稳定完全燃烧所发出的热量。千焦／（时·千瓦）

41. 什么叫火孔热强度（并写出单位）？

答：单位时间、单位面积火孔上所发出的热量。千焦／平方毫米·时

42. 什么叫临界孔径，它在工程上有什么实用意义？

答：当火孔直径小到某一个极限，火孔壁散热大到使火焰无法传播时，这时的火孔直径称为临界孔径。

实用意义：可利用来进行防止回火。

43. 什么叫火焰传播（并写出单位）？

答：它是指焰面不断向未燃气体方向移动，不断形成新

的焰面，这种现象称为火焰传播（或称燃烧速度）。单位：m/s

44．烟道式燃气快速热水器名词解释？

答：烟道式燃气快速热水器的名词，它是按给排气方式分类的第二种，燃烧时所需空气取自室内，用排气筒在自然抽力下，将烟气排到室外，简称烟道式。代号：D

45．什么叫平衡式燃气快速热水器？

答：平衡式燃气热水器它是按给排气方式分类的第三种，燃烧时所需空气取自室外。给排气筒在同一墙洞并伸到室外，简称平衡式。代号：P

46．简述热电偶、电磁阀（热电式熄火保护装置）的工作原理？

答：它是利用两种金属在 600℃ 时不同的电位电压差 0.08V，负电子流动后，产生 $10\mu A$ 电动势，在绕组产生磁引力，吸合衔铁后，并闭主火燃气阀。

47．简述火焰检测熄火保护装置的工作原理？

答：它是利用燃气火焰的导电性和整流特性，使交流变直流后，经过信号放大，通过断电器控制主火气阀的启、闭。

48．无参数的电子元件如何用万用表测读被测值？

答：当测量一未知其大小的任何种类参数时，应先将量限悬钮调到最大量限测试，然后再选择适当的量限档测试，使指针得到最大的偏转，读出被测值。

MF368，368A，368B，（万用表）

49．试述燃气管道和设备的外观检验的具体内容？

答：（1）坡度：是否符合设计"规范"要求；

（2）稳固性：如支架间距是否符合设计"规范"要求；

（3）合理性：如没有重复管，零件最少等；

（4）美观性：如设备安装不歪、不斜等。

50．试述外墙明管嵌装三通的程度？

答：（1）按各确定嵌装三通位置；

（2）量出三通与长螺丝活接头组装长度；

（3）接组装长度在外墙明支管上割管子；

（4）松动管卡；

（5）管子两端塞布堵气源；

（6）嵌装好，在丝扣处用皂液验漏、放气、试烧。

51．试述通气试运转的操作程序？

答：（1）关闭所有阀门、开关；

（2）抽尽所有水井的积水；

（3）在用燃气置换空气时，先干管后支管，通过放散管放气；

（4）在取样点取样，在规定的地方进行试烧；

（5）逐户放气，并进行试烧。

52．皮膜燃气表可能会产生哪些故障？是哪些因素造成的？

答：（1）指针不动：传动机构卡住；

（2）表慢：机械阻力过大；

（3）表快：皮膜收缩、老化；

（4）不通气：传动装置发生故障；

（5）漏气：外壳腐蚀，门框密封圈失效等；

（6）表内有响声：机械传动发生故障；

（7）爆表：大面积爆表，可能调压器失灵。单个表发生爆表，可能调表时，空气没置换干净，引起爆表。

53．地上管施工与表、燃气用具安装现场交底时，需注意弄清哪些问题？

答：（1）图纸与施工现场校对；

（2）对遗留、错误之处，查询清楚；

（3）对图纸不清楚处，应询问清楚；

（4）对施工卡不明处，应询问清楚；

（5）材料与用料不符时，应询问；

（6）需要变动的内容，应问清。

54. 施工人员的现场踏勘内容包括哪些？

答：（1）检查有无影响施工的障碍；

（2）对地下管接出，应查实管位；

（3）支架防止选择在混凝土的梁柱上；

（4）查看表、灶位置是否妥当；

（5）了解用户时施工准备情况。

55. 简述外墙明管安装的一般程序？

答：（1）选管位；（2）凿各分支管墙洞；（3）用扁凿做临时支撑；（4）在各分支管装好引入管；（5）测坡后，固定管卡。

56. 正确选择过剩空气系数，对实际燃烧过程意义何在？

答：α 值大小取决于燃烧方式。

α 太大，降低炉温，增大排烟量，降低热效率。

α 太小，燃烧不完全，不能充分利用可燃成分，浪费能源。

57. 试述扩散式燃烧的特点？

答：燃烧前未预先混入空气。火焰较长，呈红黄色，温度最高不会超过 900℃，温度最高处在焰火。不会回火，运行可靠，燃气压力在 200～400Pa 或更低仍能正常燃烧。

58．试述大气式燃烧的火焰特征？

答：燃气燃烧前预先混入部分空气。火焰比较短，它是由内焰、外焰两层火焰组成。温度最高点在内焰上方不太远的地方，约 1180℃，容易回火。

59．试述大气式燃烧器的构造及工作原理？

答：大气式燃烧器它是由引射器和头部两部分组成。

原理：它是利用燃气压力将空气引入以后，在混合管内进行混合，再从头部火孔流出，在空气中经点燃而进行燃烧，形成内、外火焰。即大气式火焰。

60．试述无焰式燃烧的特点？

答：燃气燃烧前，预先混入燃烧需要的全部空气，在网格或火道的配合下，能在瞬间燃烧完毕，火焰很短，几乎看不见，极易回火。

61．红外线辐射器使用中常见的故障？

答：（1）回火；

（2）火焰不正常：A. 红色火焰；B. 炽白色火焰；C. 黄色火焰；D. 蓝色火焰；E. 表面局部烧不红。

62．试述引射器的组成，以及各部分的作用？

答：（1）喷嘴：输送燃气；

（2）一次空气吸入口：保证空气通过；

（3）吸气收缩管：减少空气吸入的阻力；

（4）混合管：燃气、空气进行充分混合；

（5）扩压管：恢复、提高混合气压力。

63．对民用燃气用具的燃烧器如何调节火焰？

答：民用燃气用具燃烧器由于采用大气式燃烧，故其火焰是由清晰的内、外两层火焰。如发现有回火倾向，可适当关小风门；如发现火混，内、外焰不清，可适当开大风门。

64．在大气式燃烧器头部计算中，对火孔间距，火孔排数有何要求？

答：火孔间距不宜太大，也不能太小，约为火孔直径的2～3倍。火孔为两排时，应交错排列为好；两排以上，每增加一排火孔，一次空气系数应增加5%左右。

65．在大气式燃烧器头部计算中，对头部截面及头部容积有何要求？

答：头部容积不易过大，防止产生回火，形成点火噪声和熄火噪声。

66．水气联动阀的故障与排故方法有哪些？

答：当燃气的一次压正常、水压正常、小火正常，而热水器不能正常供应热水时，这说明水气联动阀有故障。

常见故障：

（1）无大火，大火开足。如果出水量超过额定流量，即可诊断为皮膜坏了，换上新皮膜即可。

（2）调温失控，水量变化不明显。这是地区水压偏高，而水温补正或调节阀坏了。调换或修复水温补正调节阀。

（3）如水量不超的话，那就是皮膜老化变形，水动顶针坏了。水动顶针轧刹、射流孔堵塞、缓点火堵塞、进水滤网堵塞。可以采取调换老化的皮膜、调换或修复水动顶针、清洗射流孔缓点火和进水滤网。

67．燃气快速热水器出水不热的原因？怎样排故？

答：（1）如地区燃气压力偏低：A．选用强制风式热水器；

B．避开用气高峰使用热水器；

C．彻底改善供气条件。

如水压偏高：A．可选用铭牌额定水压相符的燃气热水器；

B. 加装水减压阀；

C. 加装水限流器。

（2）皮膜坏、水温补正坏、水温调节阀坏，必须更换、修理。

（3）烟道堵塞，必须清洗。

（4）不完全燃烧，必须达到完全燃烧。

（5）气源种类不符铭牌规定，可按照负荷进行气种的改装。

（6）热水管道过长，造成沿程热损失过大，可合理调整热水器安装位置或对热水管道进行保温措施。

（7）燃气管道过长或管径太小，可改善供气条件，不准软镶。

68. 全自动燃气快速热水器常见故障？排故方法有哪些？

答：（1）有点火、无大火：电池电压偏低，可换电池；

（2）无点火：A. 无电、可换电池；

B. 电磁阀坏了、可换新的；

C. 皮膜坏了，可换皮膜；

D. 水气联动阀门内堵塞，可清洗；

E. 水压偏低，可采用加压；

F. 控制器坏了，可换新的；

G. 水针轧刹，可清洗；

H. 微动开关坏了，可换新的。

（3）红火，内外焰不清：可清刷燃烧器。如平衡式内烟道设套好可重新安装；

（4）黄焰或回火：热负荷不对，查喷嘴，调整；

（5）热交换器下部发黑：缺保养，清洗燃烧器；

（6）易熄火：A.水温太高，可能管径太小，或有堵塞。可放大管径或清堵；

B.水压不稳定，可加压；

C.火焰检测接触不良，可调整间距 4mm±1，清除氧化层；保证接触良好。

69.小火没熄灭，电磁阀自动跳开的原因？排故方法？

答：（1）小火太短；不足以加热热电偶到所需的温度。可调整小火。

（2）导线接触不良；可使之接触良好。

（3）熔断体坏了；可更换。

（4）缺氧保护动作；可改善室内通风。

（5）热电偶老化；可调换热偶。

（6）电磁阀坏了；可更换或修理。（液化气要避免用瓶底气）

（7）一次压和二次压偏低，可改善供气条件。

（8）因热水器装置在有明显机械震动处，可适当移位。

70.如何用正确的方法检测电磁阀、热电偶的好坏？

答：（1）电磁阀检测：万用表调到 *1 档，双向调零，（＋）接电磁阀搭线，（－）接中心线，此时应右向到零。手压下阀门，弹簧压缩状，衔铁与磁铁接触，松开压阀的手，衔铁与磁铁吸引住，松开任何一接线，电磁阀迅速弹出复位，则电磁阀是好。如果发现接好线右向不到零和吸不住，则可判断电磁阀坏了。

（2）热电偶检测：万用表调到 1kΩ 档，双向调零再调到 DCVA 的 50μA 档位。（＋）接热电偶搭铁线，（－）接中心线。加热热电偶到 600℃时，指针应在 DCVA 刻度 2 左右。不到 1.6 即可判断热电偶老化，指针有抖动现象，可判断焊点接触不良或中心线绝缘不良。稳定在 2 或 2 以上的热电偶是好的。

万用表调到 1kΩ 档，双向调零，查通路，指针不动或右向不到零时，约可判断热电偶坏了。

实际操作部分

1．题目：民用户通气步骤

考核项目及评分标准

序号	考核项目	评 分 标 准	满分	检 测 点					得分
				1	2	3	4	5	
1	通气前准备	1. 组织实施 2. 工具	20						
2	通气步骤	1. 放散点选择 2. 阀门启闭 3. 放散	50						
3	安全措施	符合安全规定	20						
4	验收点火	燃气表运行正常，灶具燃烧稳定	10						

2．题目：户内燃气管道的强度试验

考核项目及评分标准

序号	考核项目	评 分 标 准	满分	检 测 点					得分
				1	2	3	4	5	
1	强度试验设备	1. 压力表 2. 必要安全设备	20						
2	强度试验操作	1. 压力要求 2. 技术措施	20						

序号	考核项目	评分标准	满分	检测点					得分
				1	2	3	4	5	
3	技术要求	1. 介质空气 2. 肥皂水试漏 3. 各接口（头）检查不漏气压力不下降为合格	20						
4	操作	1. 总阀门—表前阀 2. 实际操作	20						
5	验收	试压符合规定	20						

3. 题目：户内燃气管道的严密性试验

考核项目及评分标准

序号	考核项目	评分标准	满分	检测点					得分
				1	2	3	4	5	
1	必备设备	1. 压力表 2. 必要安全设备	20						
2	严密性试验操作	1. 压力选择 2. 位置	20						
3	技术要求	符合安全规定	20						
4	必要操作	实际操作	20						
5	验收	试压符合规定	20						

4. 题目：燃气表的安装

129

考核项目及评分标准

序号	考核项目	评分标准	满分	检 测 点					得分
				1	2	3	4	5	
1	安装工具	必备工具	10						
2	安装前表验收	对表的检验（表面）4点	30						
3	安装	对不同种类表的安装	30						
4	验收	符合燃气表安装规范要求	30						

5. 题目：水平干管的安装

考核项目及评分标准

序号	考核项目	评分标准	满分	检 测 点					得分
				1	2	3	4	5	
1	工具	安装必备工具	10						
2	安装要求	1. 位置；2. 套管；3. 托钩；4. 活接头	30						
3	技术要求	坡度、坡向等	30						
4	验收	符合施工技术要求	30						

6. 题目：立管安装

考核项目及评分标准

序号	考核项目	评分标准	满分	检 测 点					得分
				1	2	3	4	5	
1	工具	安装必备工具	10						
2	安装要求	识图、放样等	30						
3	操作	安装	40						
4	验收	符合施工技术安装要求	20						

130

7. 题目：燃气表的维修

考核项目及评分标准

序号	考核项目	评 分 标 准	满分	检 测 点					得分
				1	2	3	4	5	
1	漏气	分析原因	10						
2	表快	分析原因	30						
3	表慢	分析原因	30						
4	检验	1. 用户就地检验 2. 定期检修	30						

8. 题目：DN15 镀锌管的套丝

考核项目及评分标准

序号	考核项目	评 分 标 准	满分	检 测 点					得分
				1	2	3	4	5	
1	正确使用工具	必备的工具	30						
2	操作	每扣两扳成活	30						
3	质量	1. 技术质量 2. 丝扣质量	30						
4	检验	符合丝扣质量标准或技术要求	10						

9. 题目：燃气灶具位置的确定

考核项目及评分标准

序号	考核项目	评 分 标 准	满分	检 测 点					得分
				1	2	3	4	5	
1	厨房标准	说出三方面要求	10						
2	与侧面砖墙	不小于200mm	30						
3	与背面砖墙	不小于100mm	30						
4	与另一台灶具	不小于400mm	30						

10．题目：室内燃气立管的最上、下两端的安装
考核项目及评分标准

序号	考核项目	评 分 标 准	满分	检 测 点					得分
				1	2	3	4	5	
1	安装内容	分别加设丝堵	20						
2	作用	1．放水 2．置换	30						
3	操作	按要求安装丝堵	40						
4	验收	符合安装规范	10						

第三章　高级燃气用具安装检修工

理论部分

（一）是非题（正确的划"√"，错误的划"×"，答案写在每题括号内）

1．流体总是充满它能达到的全部空间。　　　　（×）

2．气体虽然没有固定的形态，但有固定的体积，能形成自由表面。　　　　　　　　　　　　　　　　（×）

3．水、燃气便于用管道进行输送，这是因为流体具有压缩性。　　　　　　　　　　　　　　　　　　（×）

4．流体不易被压缩。　　　　　　　　　　　　（×）

5．固体具有固定的形状，流体的形状是随容器变化，也有固定的形状。　　　　　　　　　　　　　　　（×）

6．以完全没有气体存在的绝对真空为零点起算的压强称为相对压强。　　　　　　　　　　　　　　（×）

7．如果不是以绝对真空的零点，而是以大气压强为零点起算的压强，称为绝对压强。　　　　　　（×）

8．用 U 形管测出的燃气压强称为燃气的绝对压强。

（×）

9．烟气能从烟囱及时排出，一是靠热烟气的容重比空气容重重，二是靠烟囱的高度。　　　　　　（×）

10．在温度不变的情况下，气体的压强与体积成正比。

（×）

11．隔热保温的基本原理是利用导热系数大的材料，减少传热。　　　　　　　　　　　　　　　　　（×）

12．建筑材料的密度小，则导热系数大。　　　（×）

13．在流体中，水的导热系数比空气小。　　（×）

14．建筑材料的导热系数，随温度升高而减小。　（×）

15．夏季在装有空调的房间装双层窗，能防止外面的热空气传入室内，这是由于玻璃不善于导热。　　（×）

16．传热学中，基本状态参数为温度、压强、比热。

（×）

17．单纯的导热只能发生的密实的液体中。　（×）

18．气体的导热性能比固体差，比液体好。　（×）

19．对流是依靠带热体的运动，把热量从空间的某一区域传递到另一个温度相同的区域的现象。　　（×）

20．水和铁各 10kg，升高同一温度时，它们所需热量相同。　　（×）

21．金属受热时，它和体积会增加，冷却时则会收缩，金属的这种性能称为导热性。　　（×）

22．常用金属中导电性能最好的是铜，其次是铝。（×）

23．金属的物理性能包括：密度、熔点、热膨胀性、机械性、导电性和磁性。　　（×）

24．任何一种热处理都包括：室温、保温和冷却三个阶段。　　（×）

25．重量轻、强度高的硬铝是铝、铁、镁三元合金。

（×）

26．金属根据它的重量大小，可分为：轻金属和重金属。　　（×）

27．在制造散热器、热交换器等设备时，要选用机构性能好的金属。　　（×）

28．普通黄铜是铜和镁的合金。　　（×）

29．金属在高温下对氧化的抵抗能力称为抗腐蚀性。

（×）

30．碳钢中常见的杂质有：硫、碳、锰、硅。　　（×）

31．在燃气置换过程中，如 S 燃气能换 A 燃气，则表示 A 燃气一定能置换 S 燃气。　　　　　　　　　　（×）

32．燃气的互换性是指燃气的性质变化范围，能够满足两种燃气的互换，是对燃气用具本身性能提出的要求。（×）

33．燃气用具的适应性，是指燃气用具要能适应燃气在一定范围的变化，是对燃气品质提出的要求。　　（×）

34．所谓通用燃气用具是指能适应燃气组分极不相同的燃气用具，不要更换部件，就能使燃气用具适应燃烧不同种的燃气。　　　　　　　　　　　　　　　　　（×）

35．两种燃气互换时，燃气用具的热负荷在互换前后允许发生大的变化，这是两种燃气互换的前提。　　（×）

36．当燃气组分变化不大时，华白数可以作为燃气互换性的判定指数，一般规定华白指数波动值应为 ±15％。（×）

37．A3 钢属于乙类钢。　　　　　　　　　　（×）

38．优质碳素结构钢是既能保证化学成分，又保证机械性能。　　　　　　　　　　　　　　　　　（√）

39．优质碳素结构钢中，45 号钢表示平均含碳量为 4.5％。　　　　　　　　　　　　　　　　　　（×）

40．优质碳素工具钢中含硫、磷都限制在 0.04％以下，它的牌号是以 T 加数字表示　　　　　　　　（√）

41．T12 的优质碳素工具钢表示平均含碳量为 0.12％。

（×）

42．铸钢的含碳量一般在 0.15％～0.55％之间，含碳过高，塑性不足，容易产生冷裂。　　　　　　　（√）

43. 除铁和碳以外，还含有为某种目的而特意加入的合金元素的钢称为合金钢。 （✓）

44. 合金钢按用途分类为合金结构钢，合金工具钢两大类。 （×）

45. 铸铁是含碳量大于2.11%的铁碳合金。 （✓）

46. 灰口铸铁是由铁、碳、硅、锰元素组成。 （×）

47. 常用的普通螺纹、英制螺纹、圆柱管螺纹、圆锥螺纹主要用于连接。 （✓）

48. 用来支承和带动零件转动的轴叫心轴。 （×）

49. 传动轴主要用以传递转矩，不承受弯矩或只承受很小的弯矩。 （✓）

50. 液压传动可以在较大的范围内实现无级调速。 （✓）

51. 利用金属氧化物易在酸中溶解的性质，用一些酸性溶液清洗锈层，达到除锈的目叫电化学除锈。 （×）

52. 离心式泵和风机的主要结构部件是叶轮和机壳。 （✓）

53. 对于泵来说，把入口与出口的能量增量 H 叫做压头。 （✓）

54. 扬程（或压头）与流量表明了设备具有的工作能力。 （✓）

55. 泵的转数 n 是指叶轮每小时的旋转次数。 （×）

56. 往复泵依靠往复运动的活塞依次开启吸入阀和排出阀，从而吸入并排出液体。 （✓）

57. 管网进行停气与降压作业时，应有专人控制压力，管内燃气压力不宜小于300Pa，严禁管内产生负压。 （×）

58. 液化石油气管道停气或降压作业时，应采用防爆风机驱散在工作坑或作业区内聚积的液化石油气。 （✓）

59．动火作业时，应划出作业区设置护栏，作业区应保持空气流通，无燃气聚积。　　　　　　　　　　（✓）

60．新、旧钢管连接动火作业时，应先采取措施使新旧管道平衡。　　　　　　　　　　　　　　　　　（×）

61．液化石油气管道设置临时放散火炬，火焰应高出地面 1m 以上。　　　　　　　　　　　　　　　　（×）

62．液化石油气管道设置的临时性放散火炬，火炬点燃后，应调节火焰，使其完全燃烧，并由专人看管。　（✓）

63．恢复供气应事前通知用户，涉及用户的停气、降压工程，可以在夜间恢复供气。　　　　　　　　　（×）

64．置换作业时，设置临时放散管，其高度应高出地面 1m 以上。　　　　　　　　　　　　　　　　　（×）

65．用燃气直接置换空气时，其置换时的燃气压力宜小于 5000Pa。　　　　　　　　　　　　　　　　（✓）

66．作业现场经测定泄漏的燃气与空气混合气体达到爆炸下限的 10% 时，应划为污染区。　　　　　　（×）

67．在燃气污染区内作业时，应进行强制通风，清除聚积燃气，严禁产生火花现象。　　　　　　　　（✓）

68．进入污染区的操作人员应按规定着装，可以单独作业。　　　　　　　　　　　　　　　　　　　（×）

69．进入液化石油气污染区作业时，不得使用塑料管、橡胶管和胶板等高绝缘材料。　　　　　　　　（✓）

70．抢修中如无法有效消除漏气现象或切断气源，应通知有关部门，并作好事故现场的安全防护工作。（×）

71．液化石油气管泄漏抢修时，必须测试管道电位，但不用安装接地装置。　　　　　　　　　　　　（×）

72．当泄出的液化石油气不易控制时，应切断气源，并

用消防水枪喷冲稀释泄出的液化石油气。　　　　（√）

73．燃气管道拆、装盲板时，应在降压或停气后进行。

（√）

74．燃气火灾的抢救工作，应采取切断气源或降低压力等方法控制火势，管内保持负压。　　　　　　　（×）

75．地下燃气管道对没有电保护装置的管道，应不定期测试检查。　　　　　　　　　　　　　　　　　（×）

76．对地下燃气管道达到设计使用年限一半时，应对管道选点检查。　　　　　　　　　　　　　　　　（√）

77．阀门应定期进行启闭性能试验，更换填料，加油和清扫及阀井的维修。　　　　　　　　　　　　　（√）

78．应不定期校验安全阀起跳、回座性能及密闭性能等，水封式安全装置应定期检查水位。　　　　　　（√）

79．无毒燃气泄漏到空气中，达到爆炸下限的 10％浓度时，应能察觉到臭味。　　　　　　　　　　　　（×）

80．城镇燃气管道的计算流量，应按计算月的小时最大用气量计算。　　　　　　　　　　　　　　　　（√）

81．室外燃气管道的局部阻力损失可按燃气管道摩擦阻力损失的确 2％～3％进行计算。　　　　　　　（×）

82．地下燃气管道可以从建筑物和大型构筑物的下面穿越。　　　　　　　　　　　　　　　　　　　　（×）

83．地下燃气管道输送湿燃气时，应埋设在土壤冰冻线以下。　　　　　　　　　　　　　　　　　　　（√）

84．地下燃气管道穿过下水管、热力管沟、联合地沟、隧道及其他各种用途沟槽时，应将其他管道敷设于套管内。套管伸出构筑物外壁不应小于 0.1m。　　　（×）

85．穿越或跨越其他重要河流的燃气管道，在河流两岸

均应设置阀门。 （✓）

86. 地下燃气管道防腐设计时，不必考虑土壤电阻率。

（×）

87. 采用涂层保护的燃气干管宜同时采用电保护法。

（✓）

88. 在城镇供气管道上可以安装加压设备。 （×）

89. 室内中、低压燃气管道应采用镀锌钢管，中压燃气管道宜采用焊接或法兰连接。 （✓）

90. 燃气引入管穿过建筑物基础、墙或管沟时，均应设置在套管中，并应考虑沉降的影响，必要时应采取补偿措施。 （✓）

91. 燃气管道必须考虑在工作环境温度下的极限变形，当不能满足要求时，可以采用填料式补偿器。 （×）

92. 高层建筑燃气立管应有承重支撑和消除燃气附加压力的措施。 （✓）

93. 燃气燃烧设备与燃气管道的连接宜采用软管连接。

（×）

94. 当燃气燃烧设备与燃气管道为软管连接时，软管不得穿墙、窗和门。 （✓）

95. 当使用加氧的富氧燃烧器或使用鼓风机向燃烧器供给空气时，应在计量装置后设置止回阀或泄压装置。 （✓）

96. 平衡式燃气热水器不可以安装在浴室内。 （×）

97. 可燃或易燃烧的墙壁上安装热水器时，应采取有效的防火隔热措施。 （✓）

98. 大锅灶和中餐炒灶应有排烟设施。大锅灶的炉膛和烟道处不必设爆破门。 （×）

99. 工业企业生产用气设备的燃气总阀门与燃烧器阀门

之间不必设置放散管。　　　　　　　　　　（×）

100．工业企业生产用气设备的机械鼓风的燃烧器的主风管道应设置爆破膜。　　　　　　　　　　（✓）

101．采用机械鼓风的用气设备的燃气总管上，宜设置燃气压力下限自动切断阀。　　　　　　　　（✓）

102．用气设备的排烟设施中，在容易积聚烟气的地方，应设置排风装置。　　　　　　　　　　　（×）

103．有安全排气罩的用气设备不得设置烟道闸板。
　　　　　　　　　　　　　　　　　　　　　（✓）

104．烟囱出口的排烟温度应高于烟气露点20℃以上。
　　　　　　　　　　　　　　　　　　　　　（×）

105．烟囱出口应设置风帽或其他防倒风装置。（✓）

106．水平烟道应有0.01坡度，并坡向用气设备。（✓）

107．燃气的燃烧是指燃气中的可燃组分在一定条件下与氧发生激烈的氧化作用，并产生大量的热和光的物理化学反应过程。　　　　　　　　　　　　　　（✓）

108．甲烷与氧的燃烧反应计量方程式为：$CH_4 + O_2 \rightarrow H_2 + H_2O + \Delta H$。　　　　　　　　　　　　　（×）

109．燃气燃烧产物产生的理论烟气组分为：CO、SO_2、N_2 和 H_2O。　　　　　　　　　　　　　　（×）

110．燃气和空气以一定比例混合燃烧，它们带入的热量包括两部分，燃气、空气带入的物理热量和燃气的化学热量。　　　　　　　　　　　　　　　　　（✓）

111．过剩空气系数过大或太小都会使理论燃烧温度降低。　　　　　　　　　　　　　　　　　　（✓）

112．对燃气或空气进行预热可提高它们带入的物理热，对提高理论燃烧温度没有影响。　　　　　　（×）

140

113. 由稳定的氧化反应转变为不稳定的氧化反应而引起燃烧的一瞬间称为着火。 （√）

114. 提高燃气空气混合物的温度，对爆炸极限范围没有影响。 （×）

115. 大气式火焰的稳定性，主要是防止离焰、脱火和回火。 （√）

116. 大气式燃烧器通常利用燃气引射一次空气，所以也属于引射式燃烧器。 （√）

117. 根据实验和牛顿第一定律，功的大小等于力与物体在力作用方向上的位移的乘积，数学表示式为 $W = F \times S$。 （√）

118. 不论哪种形式的能量，它的单位与功的单位相同，用焦（J）或千焦（kJ）表示。 （√）

119. 只要有温度差，就会发生热传递。 （√）

120. 不论流体是什么性质，壁面是什么性质，热量传递有三种基本方式，即导热、对流和辐射。 （√）

121. 两种流体交替通过一蓄热器进行换热，这种换热我们称之为混合式换热。 （×）

122. 凝结又称为冷凝，它是蒸汽凝为液体的过程。 （√）

123. 实际气体的状态方程式可以表示为 $PV = ZRT$。 （×）

124. 沸腾是液体汽化为蒸汽的过程。 （×）

125. 对物料提供热量或取走热量的流体称为载热体。 （√）

126. 容积成分、分压成分或摩尔成分间的关系对理想气体而言是相等的。 （√）

127．手持式电动工具使用前要进行外观和电气检查。

（✓）

128．对易燃易爆环境最好选用防爆型电动机。 （✓）

129．有电流就有磁场，有磁场现象就有电流存在。

（✓）

130．不同种类的燃气其成分是不一样的，热值也不一样。

（✓）

131．特别危险场所相对湿度接近100％。 （✓）

132．本生灯的火焰一般分为内焰和外焰，其燃烧方式为扩散式。

（✕）

133．每个民用燃气用具都有额定的热负荷。 （✓）

134．燃气中含有较多的惰性气体，火焰传播速度降低。

（✓）

135．火焰完全脱离火孔的现象叫离焰。 （✕）

136．气体的粘度随温度的上升而减小。 （✕）

137．随着惰性气体含量的增加，混合气体的爆炸极限范围将缩小。

（✓）

138．异步电动机又叫感应电动机。 （✓）

139．异步电动机中三相鼠笼式电动机使用最广泛。

（✓）

140．炎热、高温、地面导电性高等场所属于危险场所。

（✓）

141．随着可燃气体温度的上升，火焰传播速度和火焰温度将下降。

（✕）

142．气体的粘度随分子量的增加而增加。 （✕）

143．电和磁既互相联系，又互相作用。 （✓）

144．跨步电压也可以引起触电事故。 （✓）

145. 燃气管网发生危及安全的泄漏而引起的中毒、火灾、爆炸等事故而必须采取的紧急措施叫抢修。　　　（√）

146. 在燃气管网系统中采用关闭阀门等方法切断气源使燃气压力降为零时的工况叫降压。　　　（×）

147. 抢修结束后恢复供气，事前应通知用户，不应在夜间恢复供气，以免发生意外。　　　（√）

148. 地下燃气管道凡有泄漏的地方，其地表面的树草都枯萎和积雪表面都有黄斑现象。　　　（√）

149. 钢、铜、铝它们都属于有色金属。　　　（×）

150. 用在燃气管道上的水燃气管的管径范围为 6～150mm。　　　（√）

151. Q235—A 是燃气管道上常用的螺旋焊缝钢管。

（√）

152. 1 寸 = 2.54mm。　　　（×）

153. $\phi 325 \times 6$ 表示钢管的公称直径为 $DN32$。　　　（×）

154. 室内燃气管道可以敷设在卧室、浴室内。　　　（×）

155. 沟槽扰动深度在 10cm 以内者可铺天然级配砂面或砾石处理。　　　（√）

156. 地下燃气管道宜埋设在土壤冰冻线以下，埋设在车道下时，其管顶的覆土厚度不得小于 0.5m。　　　（×）

(二) 选择题 (将正确的答案的序号填在每题横线上)

1. 各种阀门产品的型号由七个单元组成，其中"3"表示的意义是　A　

A. 连接形式　　　　　B. 结构形式

C. 驱动种类　　　　　D. 流量

2. 某燃气阀门型号为 R-Z4W-3，Z 表示　D　。

A. 法兰连接　　　　　B. 单闸板

143

C. 双闸板　　　　　　　　D. 闸阀

3. 对于螺纹中的牙形、大径、螺距三项都符合国家标准时，该螺纹称为＿＿C＿＿。

　　A. 右旋螺纹　　　　　　　B. 左旋螺纹

　　C. 标准螺纹

4. A_3 钢属于＿＿A＿＿钢。

　　A. 甲类　　　B. 乙类　　　　C. 特类　　　D. 普通

5. 钢号 T_{10} 的钢属于＿＿B＿＿。

　　A. 高级优质碳素工具钢　　B. 优质碳素工具钢

　　C. 碳素铸钢　　　　　　　D. 特种钢

6. 优质碳素结构钢 45 钢，表示平均含碳量＿＿A＿＿。

　　A.0.45%　　B.4.5%　　　　C.45%　　　　D.0.045%

7. ZG35 钢表示平均含碳量为 0.35% 的＿＿C＿＿。

　　A. 优质碳素工具钢　　　　B. 高级优质碳素工具钢

　　C. 碳素铸钢　　　　　　　D. 普通钢

8. 对了解零件的主要作用和基本形状，以便弄清楚配件的工作原理和运动情况的为＿＿C＿＿。

　　A. 分析零件　　　　　　　B. 分析配合关系

　　C. 分析视图　　　　　　　D. 分析误差

9. 使得流动的流体之间存在着相互作用的相对运动的切力，这样的切力称之为＿＿C＿＿。

　　A. 表面力　　　　　　　　B. 质量力

　　C. 粘滞力　　　　　　　　D. 阻力

10. 在流体流动区域内，任一位置上流体的速度、压强、密度等物理量不随时间的变化而变，这种流体称为＿＿B＿＿。

　　A. 过流断面　　　　　　　B. 恒定流

144

C. 流量　　　　　　　　　　D. 流速

11. 由于流体运动所具有的能量称为　A　。

A. 动能　　　　　　　　　　B. 位能

C. 压力能　　　　　　　　　D. 势能

12. $Z_1 + \dfrac{P_1}{r} + \dfrac{V_1^2}{2g} = Z_2 + \dfrac{P_2}{r} + \dfrac{V_2^2}{2g}$ 方程式为　D　。

A. 流体对外做功时的能量方程式

B. 外界对流体不做功时的能量方程式

C. 外界对流体做功时的能量方程式

D. 流体不对外做功时的能量方程式

13. 流体质点在管内不是沿直线流动而是随意紊乱地向前流动，这种流态为紊流，其 Re 应取　A　。

A. $Re > 2000$　　　　　　B. $Re < 2000$

C. $Re = 2000$　　　　　　D. $Re > 3000$

14. 根据气体出口压力分类，终压为 $0.15 \sim 3 kgf/cm^2$ 表压的离心式分机为　C　。

A. 通风机　　　　　　　　　B. 压缩机

C. 鼓风机　　　　　　　　　D. 排风机

15. 依靠往复运动的活塞依次开启吸入阀和排出阀；从而吸入并排出液体的泵为　B　。

A. 往复式压缩机　　　　　　B. 往复泵

C. 旋转泵　　　　　　　　　D. 空压泵

16. 对流换热中出现的努谢尔特准则，用　A　表示。

A. Nu　　　　B. Pr　　　　C. Re　　　　D. Fe

17. 用于加热液体使其汽化的换热设备是　A　。

A. 蒸发器　　　　　　　　　B. 加热器

C. 再沸器　　　　　　　　　D. 汽化器

18. 利用被测流体流过管道时的速度，使流量计的翼形叶轮或螺旋叶轮转动，其转速与流体的流量成正比。这种流量计为 __D__ 流量计。

A. 容积式　　　　　　　B. 差压式

C. 重量式　　　　　　　D. 速度式

19. 对于差压式流量计的安装测量气体开孔应在管道 __B__ 或与管道水平中心线成 $0°{\sim}45°$ 夹角。

A. 下半部　B. 上部　　　C. 上半部　D. 下部

20. 利用静压差测量液位的仪表称为 __A__ 。

A. 差压式液位计　　　　B. 浮力式液位计

C. 电容式液位计　　　　D. 液压式液位计

21. 高热值是指 $1Nm^3$ 燃气完全燃烧后，烟气被冷却至原始温度，而其中的水蒸气以 __A__ 状态排出时所放出的全部热量。

A. 凝结水　B. 蒸汽　　　C. 其他

22. 低热值是指 $1Nm^3$ 燃气完全燃烧后，烟气被冷却至原始温度，而其中的水蒸气以 __B__ 状态排出时所放出的全部热量。

A. 凝结水　B. 蒸汽　　　C. 其他

23. $1m^3$ 燃气按燃烧反应计量方程式完全燃烧所需的空气量叫 __C__ 。

A. 实际空气量　　　　　B. 所需空气量

C. 理论空气量　　　　　D. 其他

24. 燃气燃烧产物产生的理论烟气量组分为 __D__ 。

A. CO_2、N_2 和 H_2O　　　　B. CO_2 和 H_2O

C. SO_2、N_2 和 H_2O　　　　D. CO_2、SO_2、N_2 和 H_2O

25. 为了燃气燃烧完全，实际供给的空气量比理论空气

量 __A__ 。

　　A．多　　　　B．少　　　　C．相等　　　D．其他

　　26．当燃气燃烧不完全时，产生的烟气中除含有 CO_2、SO_2、N_2 和 H_2O 外，还含有 __B__ 等不完全燃烧产物。

　　A．CO、H_2　　　　　　　B．CO、H_2、CH_4
　　C．CO、CH_4　　　　　　D．CO_2、CH_4

　　27．燃气和空气以一定比例混合燃烧，两部分热量全部用于加热完全燃烧所产生的烟气时，烟气所能达到的温度叫做 __C__ 。

　　A．理论燃烧温度　　　　B．实际燃烧温度
　　C．燃烧的热量计温度　　D．燃烧度

　　28．过剩空气系数 α 太大、太小，对理论燃烧温度的影响是 __B__ 。

　　A．增加　　　　　　　　B．降低
　　C．没影响　　　　　　　D．增加降低不固定

　　29．任何可燃气体在一定条件下与氧接触都要发生氧化反应，如果产生的热量等于散失的热量，这个过程就称为 __C__ 过程。

　　A．不稳定的氧化反应　　B．氧化反应
　　C．稳定的氧化反应

　　30．任何可燃气体在一定条件下与氧接触，都要发生氧化反应，如果产生的热量大于散失的热量，这个过程就称为 __A__ 过程。

　　A．不稳定的氧化反应　　B．稳定的氧化反应
　　C．氧化反应

　　31．本生火焰是由 __B__ 组成的。

　　A．一个焰石　　　　　　B．内锥和外锥

C. 内锥　　　　　　　　　　　D. 内锥和外锥

32. 按适应的燃气额定压力，$P \leqslant 5000 \text{Pa}$ 的属于　B　燃烧器。

A. 中压　　B. 低压　　　C. 高压　　D. 超高压

33. 根据燃气燃烧前与空气混合情况 $0 < \alpha' < 1$ 时为　B　燃烧器。

A. 扩散式　　　　　　　　B. 大气式
C. 无焰式　　　　　　　　D. 直排式

34. 每个燃烧器的额定负荷应与其设计值相符，允许偏差不大于 ± 　A　。

A. 10%　　B. 15%　　　C. 20%　　D. 25%

35. 对于扩散式燃烧，此时一次空气系数 α' 应为　C　。

A. 大于 1　　　　　　　　B. $0 < \alpha' < 1$
C. $\alpha' = 0$　　　　　　　D. $\alpha = 1$

36. 燃烧反应缓慢，火焰长，呈红黄色的属于　B　。

A. 大气式燃烧　　　　　　B. 扩散式燃烧
C. 无焰式燃烧　　　　　　D. 有焰式燃烧

37. 对于大气式燃烧，此时一次空气系数应为　A　。

A. $0 < \alpha' < 1$　　　　　　B. $\alpha' > 1$
C. $\alpha' = 0$　　　　　　D. $\alpha = 1$

38. 某一燃气灶的型号为 JZ-R2 型，其中 R 表示　A　气体。

A. 人工燃气　　　　　　B. 天然气
C. 液化石油气

39. 炒菜灶燃烧器的热负荷一般来说，主火的热负荷为 $20 \sim 40 \text{kW}$，次火的热负荷为　D　左右。

A.10kW　　B.12kW　　　C.16kW　　D.14kW

40．中餐炒菜灶的燃烧器基本上都采用　B　。

A．扩散式燃烧器　　　　B．大气式燃烧器

C．无焰式燃烧器　　　　D．有焰式燃烧器

41．某一大锅灶的型号为 DZR-1000-A，其中 DZ 表示　A　。

A．炊用燃气大锅灶　　　B．燃气种类

C．灶眼数　　　　　　　D．燃烧方式

42．对直接排气式热水器所产生的烟气中的 CO 含量应小于　C　。

A.0.5%　　B.0.3%　　　C.0.03%　　D.3%

43．当进入热水器的冷水温度为 10～20℃时，出口热水温度不超过　B　。

A.70℃　　B.65℃　　　C.50℃　　　D.55℃

44．燃气用具燃烧稳定性来说，在　A　倍燃烧额定压力范围内，燃烧时火焰应稳定，不得产生黄焰、回火、脱火和离焰现象。

A.0.5～1.5　　　　　　B.1.5～2

C.2～2.5　　　　　　　D.2.5～3.0

45．民用燃气用具形成黄焰的主要原因是　C　。

A．燃气压力高　　　　　B．火孔直径变小

C．一次空气量供给不足　D．供气量过大

46．燃烧器头部及混合管要使用耐腐蚀熔点大于　C　℃以上的金属或者说非燃性材料。

A.500　　　B.600　　　C.700　　　D.800

47．燃气燃烧产生的烟气中主要有害气体有　B　。

A.CO、SO_2　　　　B.CO、CO_2、SO_2 和氮氧化物

C.CO、SO_2 和氮氧化物　　　D.SO_2 和 CO_2

48.烟气产生的氮氧化物主要指　D　。

A.NO　　　　　　　　　　B.NO_2

C.SO_2 和 NO_2　　　　　D.NO 和 NO_2

49.华白指数是代表燃气特性的一个参数，若两种燃气的热值和密度均不相同，但它们的华白指数相等，那么在同一燃气压力下在同一燃气用具上获得的热负荷　A　。

A.相等　　　B.不相等　　　C.相差很大

50.某一种燃气对燃气表、燃气用具有腐蚀作用，它　B　与其他燃气互换。

A.可以　　　B.不可以　　　C.其他

51.城市燃气应具有可以察觉的臭味，当无毒燃气泄漏到空气中，达到爆炸下限的　B　。

A.10%　　B.20%　　　C.25%　　　D.30%

52.室外燃气管道的局部阻力损失可按燃气管道摩擦阻力损失的　A　进行计算。

A.5%～10%　　　　　B.4%～8%

C.2%～4%　　　　　D.1%～2%

53.室外燃烧管道当采用支柱架空敷设时，管底至人行道路路面的垂直净距不应小于　C　m。

A.1.8　　　B.2.0　　　C.2.2　　　D.2.4

54.工业用户及单独的锅炉房室内燃气管道的最高压力不应大于　C　MPa。

A.0.2　　　B.0.3　　　C.0.4　　　D.0.5

55.公共建筑和居民低压用户的室内燃气管道的最高压力不应大于　D　MPa。

A.0.1　　　B.0.4　　　C.0.3　　　D.0.2

56. 对于人工燃气的多层建筑，室内低压燃气管道允许的阻力损失不应大于 __D__ Pa。

   A.100 　　 B.200 　　 C.150 　　 D.250

57. 对于天然气的多层建筑室内低压燃气管道允许的阻力损失不应大于 __B__ Pa。

   A.200 　　 B.350 　　 C.400 　　 D.500

58. 对于液化石油气的多层建筑室内低压燃气管道允许的阻力损失不应大于 __C__ Pa。

   A.500 　　 B.550 　　 C.600 　　 D.650

59. 地上低压燃气引入管的直径小于或等于 __C__ mm时，可在室外设置带丝堵的三通，不另设置阀门。

   A.50 　　 B.65 　　 C.75 　　 D.80

60. 当建筑物位于防雷区之外时，放散管的引线应接地，接地电阻应小于 __D__ Ω。

   A.25 　　 B.15 　　 C.20 　　 D.10

61. 当用气设备的烟囱伸出室外时，在任何情况下，烟囱应高出屋面 __B__ m。

   A.0.2 　　 B.0.5 　　 C.1 　　 D.1.5

62. 热负荷为了 30kW 以上的公共建筑用气设备，烟道抽力不应小于 __C__ Pa。

   A.4 　　 B.8 　　 C.10 　　 D.12

63. 无安全排气罩的用气设备，在烟道上应设置闸板，闸板上应有直径大于 __A__ mm 的孔。

   A.15 　　 B.20 　　 C.25 　　 D.30

64. 烟囱出口的排烟温度应高于烟气露点 __B__ ℃以上。

   A.10 　　 B.15 　　 C.20 　　 D.25

65. 由于有温度差而引起的能量传递形式，我们称之为

B 。

A. 功　　　B. 热　　　　C. 内能　　D. 焓

66. 在能的转换过程中，能既不能创造也不能消失，它只能从一种形式转化为另一种形式，从一个物体传递到另一个物体，在转换和传递中能量总值是不变的，这就是　A　定律。

A. 能量守恒　　　　　　B. 热功当量

C. 波义耳　　　　　　　D. 热传递

67. 两种流体直接接触，在混合过程中进行换热，这种换热形式我们称之为　C　。

A. 蓄热式换热　　　　　B. 间壁式换热

C. 混合式换热　　　　　D. 接触式换热

68. 汽化热与凝结热只引起相变化，而不引起温度变化，所以又称　A　。

A. 潜热　　　B. 热量　　　C. 功　　　D. 能

69. 假定体分子是由一些弹性的、本身不占体积的质点组，在气体分子间不存在相互作用力，这种气体我们称之为　B　。

A. 真实气体　　　　　　B. 理想气体

C. 气体　　　　　　　　D. 空气

70. 表示 1mol 理想气体的状态方程式为　C　。

A. $PV = ZnRT$　　　　　B. $PV = RT$

C. $PV = \pi RT$

D. $(P + n^2 a / v^2)(V - nb) = nRT$

71. 气体的导热系数很小，一般在　A　的范围内，它随着温度升高而增大，与压力关系不大。

A. $0.006 \sim 0.6 W/(m \cdot ℃)$　　B. $0.07 \sim 0.7 W/(m \cdot ℃)$

C.2.2～420W／（m·℃）　　D.0.025～3W／（m·℃）

72．能全部吸收辐射能的物体称为　A　。

　A．黑体　　　B．白体　　　　C．透热体　　D．灰体

73．用于流体的冷却，将流体冷却至一定温度的换热设备称为　B　。

　A．加热器　　　　　　　　B．冷却器

　C．预热器　　　　　　　　D．蒸发器

74．保温材料的导热系数小于　A　。

　A.0.2W／（m·℃）　　　　B.0.025～3W／（m·℃）

　C.386W／（m·℃）　　　　D.109W／（m·℃）

75．我国规定，在特潮湿地点或金属容器内安全电压不得超过　C　V。

　A.36　　　B.24　　　　　C.12　　　　D.6

76．防爆电动机　A　进行充气试验检查。

　A．要定期　　　　　　　　B．不要定期

　C．要随时　　　　　　　　D．不要随时

77．危险场所应选用　B　电气设备。

　A．防水防爆式　　　　　　B．防爆式

　C．开启式　　　　　　　　D．保护式

78．在更换燃气表时应关闭　B　进行更换。

　A．灶前阀　　　　　　　　B．表前阀

　C．户内总阀门　　　　　　D．同时关闭户内各阀门

79．对烤箱的技术要求其中之一，在额定热负荷下，点火 20min 后，箱内温度应上升到　A　℃。

　A.280　　　B.300　　　　C.150　　　　D.200

80．公称直径小于等于 25mm 的户内管与墙面的距离最低不应小于　B　mm。

A.20   B.30   C.50   D.100

81. 当燃气温度到达临界温度时其汽化潜热   D   。

A. 最大   B. 随之增大

C. 随之减小   D. 为零

82. 华白指数的计算公式为 $W = $ ___A___ 。

A.$H/\sqrt{S}$ B.   C.   D.

83. 当燃气中毒者上肢未受伤时，应使用   B   进行抢救。

A. 人工苏生器

B. 仰卧屈伸两臂式人工呼吸法

C. 仰卧压胸式人工呼吸法

D. 伏卧式压背人工呼吸法

84. 电动机外壳   B   可靠的保护接地。

A. 不一定有   B. 一定有

C. 可以有   D. 可以没有

85. 对于水平管，除两端加托钩外，小于等于25mm的管子，每___A___m应增设一个卡子。

A.2   B.1.5   C.3   D.4

86. 燃气表边缘到家用燃气灶水平净距应不小于   B   mm。

A.100   B.300   C.400   D.200

87. 对户内燃气管道进行强度试验采用___A___表压的压缩空气进行试验。

A.1kg/cm^2 B.700mmH$_2$O

C.300mmH$_2$O   D.2kg/cm^2

88. 通过文字说明可知   D   和图例的意义。

A. 管线的布置   B. 图纸的名称

154

C. 坡度　　　　　　　　D. 施工要求

89. 只有在中毒者　D　时才能进行人工呼吸。

A. 清醒　　　　　　　　B. 有骨折

C. 头昏　　　　　　　　D. 停止呼吸

90. 室外使用电动机一定有　D　措施。

A. 防晒　　B. 防风　　C. 防尘　　D. 防雨

91. 通过标题栏可知　B　工程项目和比例等。

A. 管线的布置　　　　　B. 图纸的名称

C. 坡度　　　　　　　　D. 施工要求

92. 三相四线制供电方式中相与相之间电压为　C　V。

A.100　　　B.220　　　C.380　　　D. 其他

93. 在各种燃气中，爆炸极限最小的是　B　。

A. 天然气　　　　　　　B. 液化石油气

C. 人工燃气　　　　　　D. 沼气

94. 城市燃气管网中的凝水缸一般要间隔　D　m。

A.200　　　B.250　　　C.300　　　D.400

95. 城市燃气管网布置形式常采用　C　。

A. 环状管网　　　　　　B. 枝状管网

C. 环—枝混合管网　　　D. 其他

96. 天然气中，纯天然气的爆炸极限为　B　。

A.4.2%～14.2%　　　B.5%～15.0%

C.1.7%～9.7%　　　　D.8.8%～24.4%

97. $1Nm^3$ 的 H_2 完全燃烧时，所需的氧气量为　A　Nm^3。

A.0.5　　　B.1　　　C.1.5　　　D.2.0

98. $1Nm^3$ 的 CO 完全燃烧时，所需的氧气量为　A　Nm^3。

A.0.5　　B.1　　　　　C.1.5　　　　D.2.0

99.民用户燃气表发生＿＿A＿＿故障时，必须更换新表。

A.漏气　　　　　　　　B.不走字

C.计量不准　　　　　　D.表面受损

100.在热与功的能量转换过程中，1cal 的热相当于＿＿A＿＿J 的功。

A.4.184　　B.0.082　　　C.8.314　　D.4.184$\times 10^3$

101.25℃换算成绝对温度时是＿＿D＿＿。

A.300K　　B.273K　　　C.273.15K　　D.298K

102.在低至中压范围内，气体应遵循的方程式为＿＿B＿＿。

A.$PV = ZnRT$　　　　　　　B.$PV = RT$

C.$PV = nRT$

D.$[P + (n^2 q/V^2)](V - nb) = nRT$

103.在高压范围内，气体应遵循的方程式为＿＿A＿＿。

A.$PV = ZnRT$　　　　　　　B.$PV = RT$

C.$PV = nRT$

D.$[P + (n^2 q/V^2)](V - nb) = nRT$

104.有缝钢管中，用于户内庭院管的是＿＿B＿＿。

A.螺旋焊缝钢管　　　　B.水燃气管

C.直缝钢管　　　　　　D.铸铁管

105.化学反应的热效应的计算公式是＿＿B＿＿。

A.$\Delta H = \Sigma H_{产物} - \Sigma H_{反应物}$

B.$\Delta H = \Delta nRT$

C.$\Delta H = \Sigma H_{反应物} - \Sigma H_{生成物}$

D.$\Delta H = \Delta u + \Delta nRT$

106.下列方程式中哪个是热化学方程式＿＿C＿＿。·

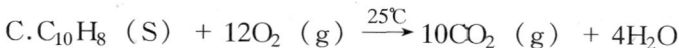

A.$H_2 + 1/2O_2 \longrightarrow H_2O$

B.C（石墨）$+ O_2 \longrightarrow CO_2$

C.$C_{10}H_8$（S）$+ 12O_2$（g）$\xrightarrow{25℃} 10CO_2$（g）$+ 4H_2O$
（L）

D.$Zn + CuSO_4 \longrightarrow ZnSO_4 + Cu \downarrow$

107.CO_2 气体的标准生成热的表示方法是__B__。

A.ΔH^0_{298} B.$\Delta H^0_f CO_2$

C.$\Delta H^0_c CO_2$ D.ΔH

108. 阀门的型号表示中"Q"表示__C__。

A. 闸阀   B. 截止阀

C. 球阀   D. 蝶阀

109.PE 管一般可在__C__℃之间被熔化，并且两部分的熔化部分充分接触，并保持一定的压力冷却后，便可牢固地融为一体。

A.100～150   B.200～300

C.190～240   D.300～400

110. 地下燃气管道穿过其他构筑物时，在基础以外__B__ m 的范围内不准有焊接接头。

A.0.5   B.1   C.1.5   D.2

111. 利用__A__机械进行破路和燃气管道的试压和吹扫。

A. 空气压缩机   B. 风镐

C. 卷扬机   D. 钻孔机

112. 当沟槽土质较差，有支撑，地下障碍物较多时，钢管的下管方式通常采用__C__法。

A. 分散下管   B. 组合吊装

157

C. 集中下管　　　　　　　D. 其他

113. 地下低压燃气管道与相邻建筑物基础之间的最小水平净距为__B__m。

A. 0.6　　　B. 0.7　　　　C. 0.8　　　　D. 1.0

114. 人体触电时，致命的因素是__C__。

A. 电阻　　　B. 电压　　　　C. 电流　　　D. 功率

115. 人体中碳氧血红蛋白的死亡线为__B__%。

A. 55　　　B. 65　　　　C. 75　　　　D. 85

116. 天然气中 H_2S 的允许含量为__B__mg/Nm^3。

A. >20　　　B. <20　　　　C. >10　　　　D. <10

(三) 计算题

1. 如图所示的开口水箱，若大气压强 $P_a = 95$kPa（绝对压强），液体水的密度 $\rho = 1000$kg/m^3，求水中 $h = 2$m-A 点处的流体静压强。

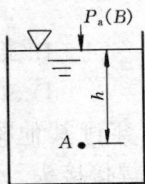

【解】　$h_1 = 2$m 处的 A 点流体静压强

A 点的绝对压强，根据公式：

$$P'_A = P_a + \gamma h_1 = P_a + \rho_g h_1$$

$$= 95 \times 1000 + 1000 \times 9.81 \times 2$$

$$= 114.6\text{kPa}$$

A 点的相对压强：$P_A = P'_A - P_a = \gamma h_1$

$$= 1000 \times 9.81 \times 2 = 19.6\text{kPa}$$

答：水中 $h = 2$mA 点处的流体静压强为 19.6kPa。

158

2. 如图为一开式水箱，自由面上作用着大气压强 P_a，A 点在水深 2m 处，若在 A 点处连一测压管，测压管水面也为大气压强。试求测压管水面的高度 h_P。

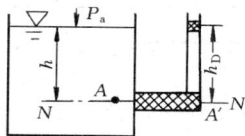

【解】 为求 h_P，先取 N-N 面，它通过 A、A′点，这两处液体满足静止、同种、连续的条件，所以 N-N 面为等压面。

A 点：$P'_A = P_a + \gamma h$ 或 $P_A = \gamma h$ (1)

A′点：$P'_A = P_a + \gamma h_P$ 或 $P'_A = \gamma h_P$ (2)

∵（1）=（2）$P'_A = P_A$ 又∵箱内与管内为同种液体，γ 相同∴$h_P = h = 2m$

答：测压管水面的高度 h_P 为 2m。

3. 如图为一串联管路，若通过管道的流量为 0.628 m³/s，它们的直径分别为 400mm，200mm 和 100mm，问各管道的流速各为多少？

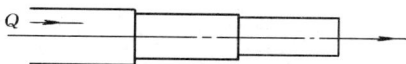

【解】 由连续性方程式：$Q_1 = Q_2 = Q_3 = Q = 0.628 m^3/s$

由平均速度公式：$V_1 = Q_1/A_1 = 4 \times 0.628/\pi d_1^2 = 5m/s$

又由：$V_1 d_1^2 = V_2 d_2^2$ $V_2 = V_1 d_1^2/d_2^2 = 20m/s$

同理：$V_3 = 80m/s$

答：管道 1 流速为 5m/s，管道 2 流速为 20m/s，管道 3 流速为 80m/s。

4．如图为一分流管路，若 $Q_1 = 40\text{L/s}$，$Q_2 = 25\text{L/s}$，$V_2 = 1\text{m/s}$，$d_1 = 300\text{mm}$，$d_3 = 100\text{mm}$，求 V_1，V_3，d_2。

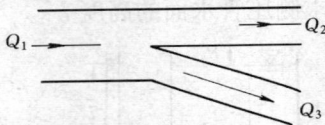

【解】　根据连续性方程：$Q_入 = Q_出$

于是：$Q_1 = Q_2 + Q_3$

$\qquad Q_3 = Q_1 - Q_2 = 40 - 25 = 15\text{L/s}$

而：$Q_1 = (1/4)\pi d_1^2$

$V_1 = (4Q_1) / (\pi d_1^2)$

$\quad = (4 \times 0.04) / (\pi \times 0.3^2) = 0.6\text{m/s}$

同理：$V_3 = (4Q_3) / (\pi d_3^2)$

$\qquad\quad = (4 \times 0.05) / (\pi \times 0.1^2) = 1.9\text{m/s}$

$d_2 = \sqrt{4Q_2/\pi v_2} = \sqrt{4 \times 0.025/\pi \times 1} = 0.19\text{m} = 190\text{mm}$

答：V_1 是 0.6m/s，V_3 是 1.9m/s，d_2 是 190mm。

5．已知某干燃气各组分的容成分（体积%）分别为：$y_{H_2} = 57.0$，$y_{CO} = 5.2$，$y_{CH_4} = 20.0$，$y_{CnHm} = 1.3$（按 C_3H_6），$y_{CO_2} = 2.7$，$y_{H_2} = 13.0$，$y_{O_2} = 0.8$，设含湿量 $d_g = 0.01\text{kg/m}^3$（n）干燃气，求湿燃气各组分的容积成分。

【解】　先求换算系数 K：

$K = 0.833 / (0.833 + d_g)$

$\quad = 0.833 / (0.833 + 0.01) = 0.9881$

湿燃气各组分的容积成分：$y_{10}^W = Ky_i$

$y_{H_2}^W = 57.0 \times 0.9881 = 56.32$　　$y_{CO}^W = 5.2 \times 0.9881 = 5.14$

$y_{CH_4}^W = 20.0 \times 0.9881 = 19.76$

$$y_{CnHm}^{W} = 1.3 \times 0.9881 = 1.28$$

$$y_{CO_2}^{W} = 2.7 \times 0.9881 = 2.67 \qquad y_{O_2}^{W} = 0.8 \times 0.9881 = 0.79$$

$$y_{O_2}^{W} = 0.8 \times 0.9881 = 0.79 \qquad y_{H_2O}^{W} = 1.14$$

6. 已知某燃气组分的容积成分（体积%）分别为：y_{H_2} = 57.0，y_{CO} = 5.2，y_{CH_4} = 20.0，y_{CnHm} = 1.3，y_{CO_2} = 2.7，y_{H_2} = 13.0，y_{O_2} = 0.8，燃气含湿量 d_g = 0.01kg/m³（n）干空气，试求理论空气需要量 V_0。

【解】 求理论空气需要量，按燃气所含组分计算：

$$\begin{aligned}
V_0 &= (1/21)\left[0.5H_2 + 0.5CO + 2CH_4 + \Sigma\ (m + n/4)\right. \\
&\qquad \left. CnHm + 1.5H_2S - O_2\right] \\
&= (1/21)\left[0.5 \times 57.0 + 0.5 \times 5.2 + 2 \times 20.0\right. \\
&\qquad \left. + (3 + 6/4) \times 1.3 + 1.5 \times 0 - 0.8\right] \\
&= 3.63\ \left[m^3\ (n)\ /m^3\ (n)\ \text{干燃气}\right]
\end{aligned}$$

答：理论空气需要量 V_0 为 3.63 $\left[m^3\ (n)\ /m^3\ (n)\ \text{干燃气}\right]$。

7. 已知某油田天然气和液化石油气的基本数据为：

	天然气	液化石油气
相对密度	0.6806	1.704
高热值	45.82MJ/m³（n）	103.01MJ/m³（n）

试求：以上两种燃气的华白指数，并计算相差百分数。

【解】 天然气华白指数：$W_T = \dfrac{H}{\sqrt{S}} = \dfrac{45.82}{\sqrt{0.6806}} = 55.54$

液化石油气华白指数：$W_T = \dfrac{H}{\sqrt{S}} = \dfrac{103.01}{\sqrt{1.704}} = 78.91$

相差百分数：$\dfrac{78.91 - 55.54}{78.91} = 29.61\%$

8. 已知：某干燃气各组分的容积成分（体积%）分别

为：$y_{H_2} = 5$，$y_{CO} = 8$，$y_{CH_4} = 30$，$y_{CO_2} = 10$，其中高热值分别为 $H_{hH_2} = 12753kJ$，$H_{hCO} = 12644$，$H_{hCH_4} = 39842kJ$，试计算该干燃气的高热值。

【解】　$H_h = 0.01\Sigma H_i^h y_i$

$= 0.01 \times （12753 \times 52 + 12644 \times 8$

$+ 39842 \times 30）$

$= 19595.68$

答：该干燃气的高热值为 19595.68。

9. 试计算城镇燃气低压管通从调压站到最远燃气用具的管道允许阻力损失。

已知：低压燃气用具的额定压力为 2800Pa。

【解】　$\Delta P_d = 0.75 P_n + 150$

$= 0.75 \times 2800 + 150$

$= 2250Pa$

答：管道允许的阻力损失为 2250Pa。

10. 求 1kgSTP（即 0℃，101.3kPa）干空气（含 O_2 和 N_2 的体积百分数分别为 21% 和 79%）有多少立方米?

【解】　设空气近似为理气，$\because \overline{M} = Y_{O_2} M_{O_2} + Y_{N_2} M_{N_2}$

$\therefore \overline{M} = 0.21 \times 0.032 + 0.79 \times 0.028 = 0.0288kg/mol$

又 $\because PV = nRT = （m/\overline{M}）RT$

$\therefore V = （m/\overline{M}）\cdot （RT/P）$

$= （1/0.0288）\times （8.314 \times 273.15/101.3 \times 10^3）$

$= 0.777m^3$（STP）

答：1kgSTP 干空气有 $0.777m^3$ 的体积。

11. 热水器的额定热水产率为 8L/min，流进热水器的冷水温度为 15℃，流出热水器的热水温度为 40℃，热水器

每小时的耗气量为 $4.2m^3$，燃气的低热值为 $15000kJ/m^3$，水的比热 $4.2kJ/(kg\cdot℃)$。

求：该热水器的热效率？

【解】 $r=\{[8\times60\times4.2\times(40-15)]/(4.2\times15000)\}$
$\times100\%=80\%$

答：该热水器的热效率为 80%。

12. 热水器的额定热水产率为 $5L/min$，流进热水器的冷水温度为 $10℃$，流出热水器的热水温度为 $35℃$，热水器的热效率为 84%，燃气的低热值为 $14200kJ/m^3$，水的比热 $4.2kJ/(kg\cdot℃)$。

求：该热水器每小时的耗气量？

【解】 $L_g=(G\times60\times C\times t\Delta)/(H\times r)$
$=(5\times60\times4.2\times25)/(14200\times84\%)$
$=2.64$ (m^3/h)

答：该热水器每小时的耗气量为 $2.64m^3$。

13. 热水器的额定热水产率为 $10L/min$，流进热水器的冷水温度为 $5℃$，流出热水器的热水温度为 $30℃$，水的比热为 $4.2kJ/(kg\cdot℃)$，热水器的热效率为 80%。

求：该热水器的热负荷？

【解】 $Q=10\times60\times4.2\times25=63000kJ/h$
$q=Q/r=63000/0.8=78750kJ/h$

答：该热水器的热负荷为 $78750kJ/h$。

14. 家用单眼灶，在额定压力下 $1min$ 燃气表红字转了 20 圈，燃气的低热值为 $14000kJ/m^3$。

求：该家用单眼灶的热负荷？

【解】 $L=20\times0.05=1m^3/h$
$q=1\times14000=14000kJ/h$

答：该家用单眼灶的热负荷为14000kJ/h。

15．已知：底层燃气压力为1000Pa，燃气的密度为0.7kg/m³，空气的密度为1.29kg/m³。

求：高层大楼第20层的燃气压力（底层到20层楼的高程差为60m）

【解】　$P_{附}=60\times(1.29-0.7)\times9.8=347Pa$

$P=1000+347=1347Pa$

答：高层大楼第20层的燃气压力为1347Pa。

（四）简答题

1．燃气管道的总压力损失包括哪些？它们与哪些因素有关？

答：包括：沿程阻力、局部阻力以及附加压力。

它们与管长、流速、相对密度、阻力系数等有关。

2．简述管道施工中，如何弯管道曲势？

答：镀锌管弯曲势采用冷弯，在施工中采用杠杆法弯曲。各种曲势的弯制均由其高度 h 确定。弯制双曲时，管道长度应增加弯曲部分高度 h 的0.4倍左右。弯制元宝曲，则应增加高度 h 的0.8倍左右。

3．简述砖砌大锅灶的试烧校验包括哪三方面，如何校验？

答：（1）火焰检验：吊火高度不能离锅底太近或太远；

（2）燃烧器位置的校验：将锅内注入水，点火试烧，观察锅内水的沸滚情况；

（3）烟囱拔风的校验：观察火焰情况，决定烟囱的高低。

4．简述三通及镶接的注意事项？

答：（1）确定嵌装位置；（2）预先通知因停气影响的客

户；（3）带气操作时，注意关闭二楼以上窗户，两个以上操作；（4）地下绝缘管带气嵌装三通应有三人以上操作；（5）及时排除因操作泄漏的燃气；（6）严禁火种进入施工现场；（7）如使用榔头、凿子时，应不断浇水，防止发生火星；（8）施工完毕，放气置换时，挨家挨户检查，施工部位，用肥皂液检漏。

5．试述砖砌大锅灶的安全操作规程？

答：（1）使用前的准备：

A．关闭所有阀门、开关；

B．检查炉腔内有无混合气；

C．确认没有混合气后，方可开启阀门；

D．新用户长期停用客户，使用前必须放散管内的混合气。

（2）点火操作：

A．点燃引火棒；

B．引火棒伸入炉膛与燃烧器接触，开启燃烧器开关；

C．关闭引火棒开关；

D．如点火时发生回火，应立即关闭开关；

E．点火时，应使火孔全部引燃。

（3）停用操作：开关逐只关闭，然后关闭总阀门。

6．影响火焰传播速度的因素有哪些？

答：（1）燃气的成分；（2）混合气的温度；（3）混合速度、压力；（4）混合气浓度；（5）火孔直径。

7．民用燃气用具的检测项目有哪些？

答：（1）气密性；（2）热负荷；（3）燃烧完全程度；（4）火焰的稳定性；（5）热效率；（6）安全装置；（7）外观及噪声；（8）燃气用具各部表面温度等。

8. 民用燃气用具对制作材料的要求有哪些?

答:(1)燃气喷嘴:常用黄铜;(2)热交换器:使用脱氧钢;(3)旋塞阀:用黄铜或青铜。

9. 简述地下管网中需要重点检漏的地方?

答:(1)新排管道;(2)进户主管;(3)距居民住宅较近的管线;(4)管伸接口集中部位;(5)建筑施工或竣工之后附近的管道。

10. 管道阻塞,将引起供应不良或供应中断,这种管道阻塞有几种可能,你如何判断?

答:通常供应不良是由用户首先发现的,所以应仔细向用户了解情况如:

(1)向居民了解供应不良的火焰情况:

A. 火小:因管道内积屑,则引起火小。在冬天如遇到天气爆冷,屑积、屑冰也能引起火小。

B. 火跳:如大面积火跳,说明干管有积水。火跳间隔时间比较长,则积水离火跳处比较远,反之,比较近。如个别用户反映火跳,则说明用气、表、灶具可能积水。

(2)向居民了解发生供应不良的时间:

A. 供应不良发生在早、中、晚供应高峰时间,并且大面积反映火小,则可能是低压区。

B. 供应不良发生在个别弄堂,不是早、中、晚供应高峰时间,则可能是积屑引起管道局部阻塞,出现火小。在冬天暴冷时,积萘、积冰也能引起火小。

11. 什么叫塑性?什么是塑性变形?塑性与温度有何关系?

(1)金属材料在载荷的作用下,产生变形而不被破坏,当载荷去除后,其变形保留下来的性能叫做塑性。

（2）这种载荷去除后能保留的永久变形叫做塑性变形。

（3）金属材料的塑性与温度有关，温度越高，金属材料的塑性就越好。

12．什么是硬度？常用的试验方法有哪些？

（1）金属表面抵抗硬物压入的能力叫硬度。

（2）试验方法有：布氏硬度、洛氏硬度、维氏硬度。

13．热处理的目的是什么？常用热处理有哪几种？

（1）目的：能提高钢材的性能，充分发挥材料的潜力，还能提高工模具和机械零件的寿命，提高产品质量，节约钢材。此外，热处理还可用来改善工件的加工工艺性能，使劳动生产率和加工质量得到提高。

（2）退火、正火、淬火、回火及表面热处理等五种方法。

14．零件除锈的方法有哪几种？

（1）机械法除锈：利用机械的摩擦、切削等作用清除零件表面锈层；

（2）化学法除锈：利用金属氧化物易在酸上溶解的性质，用一些酸性溶液清洗锈层，达到除锈的目的；

（3）电化学除锈：是利用电极反应，将零件表面的锈蚀层清除，锈蚀零件即可在阳级又可在阴极上除锈。零件作为阳极时称为阳极腐蚀，零件作为阴级时称为阴极腐蚀。

15．对换热器的基本要求是什么？

（1）满足生产工艺的要求；

（2）有利于提高传热能力；

（3）设备结构简单、造价低、使用可靠；

（4）设备安装、检修和清洁方便；

（5）设备流动阻力小，节省动力消耗。

16．自动调节系统分哪几类？

（1）定值调节系统：在定值调节系统中被调参数的给定值是恒定的；

（2）程序调节系统：程序调节系统的给定值是变化的，它往往是一个已知的时间函数；

（3）随动调节系统：被调参数的给定值是某一未知变量的函数，而这个变量的变化规律是随机的，事先是不知道的。

17．什么叫燃气燃烧所需的理论空气量？

答：燃气燃烧需要供给适量的氧气。一般情况下，在燃气应用设备中燃烧所需氧气都是直接取自空气。干空气的体积组成一般为氧化 21%、氮 79%，则两者体积比为 $79/21$ $=3.760/m^3$（n），燃气按燃烧反应计量方程式完全燃烧所需的空气量叫做该燃气燃烧所需的理论空气量。

18．什么叫过剩空气系数？

答：在实际中，由于多方面的原因，很难保证燃气与空气充分混合，因此燃气不能完全燃烧。为了燃气燃烧完全，实际供给的空气量比理论空气量多。实际供给空气量 V 与理论空气量 V_0 之比称为过剩空气系数。

19．简述对燃烧器的技术要求。

答：（1）每个燃烧器的额定热负荷与其设计值相符，允许偏差不大于 $P±10\%$；

（2）热负荷调节比应在规定范围内；

（3）燃烧器应有一定的适应性，当燃气华白数浮动值小于 $±5\%$ 时，燃烧器必须正常燃烧；

（4）燃烧器产生的火焰特征和炉内气氛特性与加热工艺相符。

20．简述扩散式燃烧的特点是什么？

答：扩散式燃烧反应缓慢、火焰长、呈红黄色，扩散火焰不存在回火问题，脱火的极限较高，由于燃烧时需要大量的过剩空气，燃烧速度慢，火焰温度不高，易造成化学不完全燃烧。

21．什么叫前制式热水器，后制式热水器？

答：家用直流式快速热水器按控制方式可分为前制式热水器和后制式热水器两种。所谓前制式是在热水回运行时用冷水进口入的冷水阀门进行控制，热水出口不设阀门；而后制式则是在热水器运行时，用装在热水出口处的热水阀门进行控制，亦可用装在冷水进口处的冷水阀门进行控制。

22．简述对燃气用具点不着火的检修方法是什么？

答：（1）对普通铸铁双眼灶：先关燃气总阀，把燃烧器头部取下来，将两个开关都旋至开的位置，然后用细钢丝，从一个喷嘴口一直捅到另一个喷嘴口，将污物捅出。表后下垂管的燃气旋塞转芯的小孔易被铁锈堵塞，检修时也应卸下胶管用钢丝捅堵。如属于旋塞转芯轴油污过多而造成堵塞，应按抹密封脂的做法进行检修。

（2）对自动点火灶具：点火电极的间距不合适；点火电极被油污封住；压电陶瓷破碎或电路元件损坏；电脉冲点大工业装置电池电能耗尽；高压导线短路等。

23．简述烟气中的 CO 对人体有何影响？

答：CO 是种无色、无臭、无味的气体。人体吸入 CO 后，它通过肺泡进血液系统，与血液中的血红蛋白和血液外的某些含铁蛋白质形成可逆性结合。由于 CO 与血红蛋白的亲和力比氧与血红蛋白的亲和力大 200～300 倍，因而很快形成碳氧血红蛋白。碳氧血红蛋白无携带氧的功能，而且它在血液内阻碍氧与血红蛋白的正常解离，从而会引起中毒现象。此外，CO 在血液中浓度较高时，能直接抑制组织呼吸。

24．简述氮氧化物对人体有何影响？

答：NO_x 是一种有恶臭、带红褐色的气体，是燃气在高温燃烧过程中生成的产物。烟气中的氮氧化物对人体有毒害作用的，主要是 NO 和 NO_2。NO_2 的毒性远远大于 NO_0 和 NO_x 中毒的主要特征，是对呼吸道的作用，其严重者致肺坏疽，对粘膜、神经系统以及造血系统也有损害作用，吸收高浓度的氮氧化物可以使人窒息。

25．什么是燃气的互换性、燃气用具的适应性？两者有怎样的关系？

答：（1）燃气的互换性：指假设某种燃气用具是以 a 燃气为基准设计的。若要用 S 燃气进行置换，如果此时不对燃烧器加以任何调整，仍能保持正常工作，那么我们就称 S 燃气能置换 a 燃气，或称 S 燃气对 a 燃气具有"互换性"。

（2）燃气用具的适应性：指燃气用具对燃气性质变化的适应能力。如果燃气用具能在燃气性质变化范围较大的情况下正常工作，就称适应性大，反之，适应性小。

（3）关系：互换性是指燃气的性质变化范围，能够满足两种燃气的互换。它是对燃气品质提出的要求。适应性是指燃气用具要能适应燃气在一定范围的变化，它是对燃气用具本身性能提出的要求。两者具有辨证的关系。

26．停气动火作业前，应置换作业段管内的燃气，并符合哪些规定？

答：（1）采用直接置换法时，应取样检测管内混合气体中燃气的浓度，经连续三次，每次间隔约5分钟，测定均在爆炸下限的20%以下时，方可动火作业；

（2）采用间接置换法时，应取样检测管内混合气体中的燃气的浓度，经连续三次，每次间隔约5mm测定均符合要求时，方可动火作业；

（3）燃气管道内积有燃气杂质时，应充入惰性气体隔离；

（4）停气动火操作过程中，遇有漏气或串气等异常情况时，应停止作业，待消除异常情况后，方继续进行；

（5）作业中断或连续作业时间较长，均应重新测定管内燃气含量，符合（1）（2）条件，方可继续作业。

27. 抢修工程的记录应包括哪些内容？

答：（1）事故报警记录；（2）事故发生的时间、地点和原因等；（3）事故类别（中毒、火警、爆炸等）；（4）事故造成的损失和人员伤亡情况；（5）参加抢修的人员情况；（6）工程抢修概况及修复日期。

28. 地下室、半地下室、设备层敷设人工燃气和天然气管道时，应符合哪些要求？

答：（1）净高不应小于2.2m；（2）应有良好的通风设施；（3）应设有固定的照明设备；（4）当燃气管道与其他管道一起敷设时，应敷设在其他管道的外侧；（5）燃气管道应用焊接或法兰连接；（6）应用非燃烧体的实体墙与电话间、变电室、修理间和储藏室隔开；（7）地下室内燃气管道末端应设散管，并应引出地上。

29. 室内燃气管道阀门的设置位置应符合哪些要求？

答：（1）燃气表前；（2）用气设备和燃烧器前；（3）点火器和测压点前；（4）放散管前；（5）燃气引入管上；（6）

公福户 20m³/h 以上燃气表进出口处都应安装阀门。

30．当燃气燃烧设备与燃气管道为软管连接时，在设计上应符合哪些要求？

答：（1）家用燃气灶和实验室用的燃烧器，其连接软管的长度不应超过 2m，并不应有接口；（2）工业生产用的需要移动的燃气燃烧设备，其连接软管的长度不应超过 30cm，接口不应超过 2 个；（3）燃气用软管应采用耐油橡胶管；（4）软管与燃气管道、接头管、燃烧设备的连接处应采用压紧螺帽或管卡固定；（5）软管不得穿墙、窗和门。

31．燃气采暖装置的设置应符合哪些要求？

答：（1）采暖装置应有熄火保护装置和排烟设施；（2）容积式热水采暖炉应设置在通风良好的走廊或其他非居住房间内，与对面墙之间应有不小于 1m 的通道；（3）采暖装置设置在可燃或难燃烧的地板上时，应采取有效的防火隔热措施。

32．用气设备排烟设施的烟道抽力应符合哪些？

答：（1）热负荷 30kW 以下的居民用气设备，烟道的抽力不应小于 3Pa；

（2）热负荷为 30kW 以上的公共建筑用气设备，烟道抽力不应小于 10Pa；

（3）工业企业生产用气设备的水平烟道长度，应根据现场情况和烟囱抽力确定。

33．简述对工业燃烧设备的安全操作技术和规定内容是什么？

答：（1）担任燃气燃烧设备的操作人员，必须经过专门训练和必要的考核；

（2）工业燃烧设备须在安装、调试、试运转合格后方能

移交正式生产;

（3）多数爆炸事故往往发生在爆气燃烧设备点火时。因此，必须强调点火程序;

（4）调节火焰;

（5）停炉作业;

（6）故障排除;

（7）针对燃气燃烧设备的特点，车间应制定出安全操作规程，并挂在明显之处，提醒注意。

34. 加压机房主要输气设施破坏大跑气应采取哪些应急措施?

答：（1）立即从控制间切断电源，停止机房内一切设备运转;

（2）关闭跑气点前后的阀门;

（3）打开门窗通气，并打开防爆排风扇通风;

（4）在压送站范围内严禁一切室外的火作业;

（5）立即报公司调度室，采取临时措施，平衡市内供气;

（6）由站内安防人员、技术人员应用燃气检漏仪检查，确认燃气污染消除后，经站长同意，可恢复开机。

35. 在永久性平房中安装燃气管道的要求有哪些?

答：（1）有固定的厨房，并近期内不可能拆除;

（2）部分室外管道采用的管架设时，水平管的安装高度应距地面 2.1m 以上，并应采取有效措施，避免雨水直接冲淋;

（3）室外明管应涂防锈漆一遍，调和漆两遍。为防止水平管冲凝法水流入表内，应在接表立管下部加设三通并加丝堵。

36．对大锅灶安装有哪些要求？

答：（1）大锅灶供气管高度一般离地15cm，位于炉门和二次进风的中间，在大锅灶的侧面应装置闸阀和活接头；

（2）在锅灶燃烧器进口开关，应设置在炉门的左边，开关的螺帽不能紧贴或嵌在灶墙内，应有一定的空隙，便于检修；

（3）燃烧器必须水平安放在炉膛的中心；

（4）汤锅灶开关的安装方法，火焰校验与大锅灶相同；

（5）大锅灶内部不得装置引火头，应配备必要的移动式引火棒。

37．简述电磁感应现象。

答：导体在磁场中做切割磁力线运动时，会在导体中感应出电动势，若导体是闭合的回路，则在感生电动势作用下产生感应电流，这就是电磁感应现象。

38．简述电动机出现哪些现象时应立即停止检修？

答：当发现电动机冒烟起火或剧烈振动或温度超过额定值继续上升，转速明显下降，内部发生撞击声或缺相运行等现象，均应立即停止运行，进行检查修理。

39．简述静电现象。

答：静电现象是一种常见的带电现象，是由于两种不同的物体互相摩擦或者物体与物体紧密接触后分离而产生的。

40．说出施工验收的8个方面。

答：（1）开工报告；

（2）各种测量记录；

（3）隐蔽工程验收记录；

（4）材料、设备的出厂合格证，材质证明，安装技术说明书及检验报告；

(5) 管道及调压设施强度和气密试验记录；

(6) 焊接外观检查记录及无损探伤记录。

(7) 设计变更通知单；

(8) 工程竣工图和竣工报告。

实际操作部分

1．题目：家用燃气采暖装置的设置的具体要求

考核项目及评分标准

序号	考核项目	评分标准	满分	检测点					得分
				1	2	3	4	5	
1	安全措施	1．熄火保护，排烟设施 2．不耐火的地板上，隔热	40						
2	位置要求	1．通风良好，走廊或非居住房间 2．与对面墙有1米通道等	30						
3	技术要求	1．红外线辐射 2．容积式热水采暖炉	20						
4	验收	安装应符合安装规范	10						

2．题目：室内燃气管道与相邻设备及管道的距离要求

考核项目及评分标准

序号	考核项目	评分标准	满分	检测点					得分
				1	2	3	4	5	
1	明装绝缘电线、电缆	1．平行距离25cm 2．交叉距离10cm	20						
2	套管内的绝缘电线	1．平行距离5cm 2．交叉距离1cm	20						

序号	考核项目	评 分 标 准	满分	检 测 点					得分
				1	2	3	4	5	
3	1000V 的裸露电线	1. 平行距离 100cm 2. 交叉距离 100cm	20						
4	配电盘或配电箱	1. 平行距离 30cm 2. 交叉距离（不允许）	20						
5	相邻管道	1. 平行距离：保证安装和维修 2. 交叉距离：2cm	20						

3. 题目：对户内燃气管道安装后的外观检查
考核项目及评分标准

序号	考核项目	评 分 标 准	满分	检 测 点					得分
				1	2	3	4	5	
1	燃气灶各阀门	开关是否灵敏	20						
2	管道、灶、表	是否符合规范	20						
3	接口	管道、管件、接口是否有缺陷	20						
4	坡度	各管道坡度是否正确，坡向是否正确	20						
5	固定件	位置正确、牢固，安装方法正确	20						

4. 题目：分析造成引入管堵塞的原因

176

考核项目及评分标准

序号	考核项目	评分标准	满分	检测点					得分
				1	2	3	4	5	
1	水堵	1. 倒坡 2. 渗水	20						
2	萘、焦油堵	人工燃气冬季易出现	20						
3	冰堵	室外引入，冬季易发生冰堵	20						
4	杂物	施工不良	10						
5	处理方法	分别说明如何处理	30						

5. 题目：燃气输配常用的管材及性能
考核项目及评分标准

序号	考核项目	评分标准	满分	检测点					得分
				1	2	3	4	5	
1	无缝管	1. 机械强度高 2. 承受压力大 3. 要求材质	30						
2	有缝管	1. 种类；2. 特点	30						
3	铸铁管	1. 机械强度低 2. 耐腐蚀 3. 球墨铸铁较好	30						
4	塑料管	1. 聚乙烯管；2. 性能	10						

6. 题目：燃气管道除锈操作

177

考核项目及评分标准

序号	考核项目	评 分 标 准	满分	检 测 点					得分
				1	2	3	4	5	
1	手工除锈	1．钢丝刷、砂布、废砂轮片 2．露出金属光泽	25						
2	机械除锈	1．内、外圆除锈机 2．不能在现场使用	25						
3	机械喷射除锈	1．喷砂清除 2．效果好，实际应用广泛	25						
4	化学处理	1．酸溶液 2．表面冲刷干净并烘干	25						

7．题目：现场紧急救护措施

考核项目及评分标准

序号	考核项目	评 分 标 准	满分	检 测 点					得分
				1	2	3	4	5	
1	燃气中毒人员	1．较轻者 2．较重者 3．严重者 加处理方法	40						
2	对烧伤人员	1．隔绝空气 2．脱下衣服 3．其他等	40						
3	现场着火	1．湿麻袋 2．干粉灭火器	20						

8．题目：室内安装质量标准

考核项目及评分标准

序号	考核项目	评 分 标 准	满分	检 测 点					得分
				1	2	3	4	5	
1	管道安装	1. 垂直度；2. 坡度；3. 附件；4. 阀门	20						
2	燃气表安装	1. 表位 2. 法兰连接 3. 管道坡度	20						
3	灶具安装	1. 位置；2. 灶板	20						
4	炉灶砌筑	1. 灶面平整度 2. 瓷砖缝隙 3. 空鼓率 4. 其他	20						
5	除锈、刷油	1. 除锈 2. 刷油	20						